있다, 잇다, 잊다

있다, 잇다, 잊다

윤소희

서화정

김소현

최지현

이성모

최지민

김선경

문효진

들어가며

    사람들이 '있고', 그 사람들 사이를 '잇고', 떠날 땐 '잊다.' 우리가 마주할 삶의 장면 중 하나입니다. 태어나 존재하는 것, 그 자체로 소중한 순간이며 그 시각, 그 장소에 함께 있어 우리가 이어질 수 있는 것 또한 대단한 운명입니다. 강물이 하나 되어 만날 때도 있지만, 각자의 꿈과 길을 위해 강물이 다시 갈라져 서로를 잊어야 할 때도 있겠지요.

    우리들 삶은 강물과도 같습니다. 졸졸 흐르는 시냇물이 되었다가도, 거센 와류를 품은 폭포가 될 수도 있습니다. 하지만 여전히 그대로인 건, 강물이 모두 흘러가 언젠가는 하나의 바다가 되는 것처럼, 하나의 세상을 살아간다는 것입니다.

    '나의 이야기로 글을 써 보고 싶다'는 생각으로 8명의 평범한 사람들이 모였습니다. 화려한 기교나 뛰어난 글솜씨가 있는 건 아니지만 내 가족,

친구, 주변 소중한 사람들에게, 그리고 더 나아가 세상에 진심으로 전하고
싶은 말들을 글에 담았습니다.

　이야기의 등장인물과 내용은 각각 다르지만, 그 안에 담긴 소중한 가치
는 동일합니다. 세상과, 사람들과 소통하는 것입니다. 마음 한 켠 기쁨과 슬
픔, 사랑과 애환을 책에 담아 사람들과 이야기하고 싶은 건 모두 한마음 한
뜻입니다. 이 한마음 한뜻이 모여 하나의 책이 되었습니다.

　이 책이 누군가에게 크나큰 울림을 준다면 물론 좋겠지만, 단지 짧은 한
구절이라도 당신의 하루 속 자그마한 공감과 희망이 된다면 더할 나위 없
습니다. 그저 어느 누군가의 이야기가 아니라, 누구나 겪을 수 있는 우리들
이야기를 적었습니다. 이토록 우리는 이 세상 위에 함께 살아간다는 무한
한 애정을 이 책을 읽는 모든 사람에게, 사랑으로 전합니다.

－ 공동저자 中 윤소희

차 례

나만 그런 게 아니었음을

윤소희

윤소희　　하고 싶은 것도, 가고 싶은 곳도, 되고 싶은 것도 많습니다. 언제나 잘 해
내야 한다는 생각이 삶을 이끌어줄 때도 있었지만, 이젠 그보다는 순간
순간의 행복이 중요하다는 걸 깨닫고 있습니다. 앞만 보고 달리기보단
주변을 살펴보며, 나를 살펴보며 걸어가야 함을 알았습니다. '세상은 넓
고 재밌는 일은 많다'는 희망으로 하루하루를 살아갑니다.

email: gmlwwndii@gmail.com

[나만 그런 게 아니었음을]

　빽빽이 들어선 빌딩 숲에서 빠져나와 거리를 걷는다. 바삐 움직이는 발자국들 사이로 나도 더 바삐 걸어본다. 급한 일이 있는 척 도착한 집에는 널브러진 옷가지들뿐이다. 나뒹구는 휴지조각과 엉클어진 머리칼을 정리한다. 직장에서는 바깥 생각만 나더니 집에 와서는 직장 생각이 나를 자꾸 따라다닌다. 거슬리는 제습기 소리만 가득한 곳에서 사람 기척이라곤 창밖에서 들려오는 한숨 섞인 담배 냄새뿐이다.

　거리에 나와보니 행복한 금요일 밤을 즐기는 사람들로 시끌벅적하다. 도망치듯 들어선 편의점에는 네 캔 만원 광고판만 내 눈에 들어온다. 후드에 몸을 숨겨 검은 비닐봉지 하나 들고 편의점을 빠져나온다. 작은 접이식 탁자를 펼치고 맥주 한 캔과 매운 떡볶이를 올려놓는다. 못난 쌍쌍바처럼 삐뚤게 뜯긴 일회용 나무젓가락을 들고 떠들썩한 예능 한 편을 튼다. 적막함이 느껴질수록 볼륨을 더 크게 높여본다.

　시끄러운 거리와 창문 하나를 사이에 둔 여기는, 작은 태블릿의 옹

성거리는 말소리도 크게 들린다. 그리고 간간이 들리는 내 웃음소리. 가득 찬 배를 안고 침대에 누워 SNS에 들어간다. 주말을 맞이하는 축포를 터뜨리듯 너도나도 화려한 게시글을 올리고 있다. 멋진 곳으로 여행 간 친구, 가족들과 근교로 떠난 캠핑, 연인과 즐기는 데이트. 누가 더 좋은 곳을 가는지, 누가 더 비싼 선물을 받는지, 누가 더 근사한 식사를 즐기는지 겨루고 있었다. 이에 나는 질린 듯이 빠져나와 배달 앱을 켠다.

'행운의 기회를 잡아보세요. 오천 원 할인쿠폰을 받을 수 있는 룰렛!'

운이라곤 시내에 나갈 때마다 도를 믿는 분들께 간택 받는 것밖에 없던 나는, 꽝일 걸 알지만 텅 빈 잔고를 생각하며 꾸역꾸역 룰렛을 돌린다.

'아쉽지만 다음 기회에 도전하세요.'

역시나.

일주일간 고생한 나에게 주는 선물이라 스스로를 설득하며 후식으로 아주 달콤한 디저트를 시켰다. 조금 뒤 저편에서 으르렁대는 오토바이 소리가 들려온다. 으르렁 소리가 다시 저 멀리 작아질 때쯤 문을 아주 살짝 열고 빼꼼하며 음식 봉투를 들인다. 그렇게 허기진 배를 계속 채워본다. 사실 허기진 건 배가 아닐 거다.

텅 빈 천장을 보며 맞이하는 토요일 아침, 이불 속에 푹 담가진 채 본능처럼 손을 이리저리 뻗어 휴대폰을 찾는다. 벌써 해가 꼭대기를 넘어가고 있지만 햇빛 알레르기라도 있는 것마냥 암막커튼을 굳게 닫고 스마트폰의 밝은 화면만 쳐다본다. 상단 바에 시시콜콜한 알람들이 반가운 것도 잠시,

'ㅇㅇ님, 오늘 가장 많이 시청한 릴스를 확인하세요'

나의 안부를 묻는 건 사람이 아니라 컴퓨터가 보낸 광고였다. 나지막이 한숨을 쉬며 알림을 차단한다. 그러곤 딱히 궁금하진 않지만, 유튜브와 인스타그램, 카카오톡을 번갈아 켜본다. 사람들의 클릭을 부르는 자극적인 제목들만 가득하다. 영양가 없는 내용뿐인 걸 알면서도 홀린 듯이 들어가 본다. 두세 시간이 훌쩍 지나, 커튼 사이로 들어오던 햇빛도 불 꺼진 양초 연기처럼 차츰 사그라들었다. 지루했던 평일을 보상받으려면 주말을 이렇게 보내면 안 될 것 같아서 친구들을 불러낸다. 오늘 갈 곳이 생긴 것만으로도 위안이 되었다. 더 이상 나를 에워싸는 침대 속에 죽은 듯이 있지 않아도 되었다. 나도 여느 사람들처럼 알찬 주말을 즐기러 나선다는 기대감에 얼굴엔 미소가 번졌다.

오랜만에 만난 친구들과 직장, 연애, 고민 이야기를 하며 시간을 보냈다. 학창 시절 떠들썩하던 에너지와 꿈은 다들 어디로 가고 삶의 고뇌와 역경만이 남아 있었다. '걔는 어디 취업했대.', '고등학교 때 누구는 결혼한다던데.', '저번에 말한 그 애는 결국 시험 떨어졌대.'

세월이 지나 무심히 연락 끊긴 누군가에 대해 부러움 섞인 질투를

하기도 하고, 또 다른 누군가에겐 연민을 빙자한 우월감을 내비치기도 한다. 어느새 어릴 때와는 달라진 서로의 모습과 처지가 다소 어색하지만 아무도 내색하지 않는다. 다음에 또 보자는 기약 없는 약속을 하고 돌아온 방은 여전히 비어 있었다.

이제 나는 받아들이기로 했다. 이 방은 원래, 늘, 항상 비어 있다는 것을. 무어가로 채우려 하면 할수록 텅 빈다는 것을. 사람들과 함께 있을 때 내면의 쓸쓸함은 웃음소리에 묻혀 보이지 않지만, 다시 혼자가 되었을 때 그 상실감과 공허함은 배가 되어 고개를 든다. 오늘도 밀린 집안일이 쌓여 있었지만 못 본 척 내일로 미루고 또다시 이불 속으로 들어간다. 밀려들어 간다.

혼자인 건 싫지만 그렇다고 낯선 이들과 함께 하고 싶진 않다. 처음 보는 사람들 속에서 어색한 웃음을 짓고 과장된 리액션을 하는 그 시간이 나를 더 외롭게 한다. 한때는 나름 재밌어 보이는 모임을 신중히 고르고 골라 나가보기도 했다. 나와 잘 맞는 사람들이 있을 거라는 기대감을 안고 들뜬 마음으로 나섰다. 다들 사람 좋은 웃음을 지으며 서로에게 직장, 나이, 이름을 물어보았고 그렇게 사회적으로 용인된 정보들을 바탕으로 상대방은 어떤 사람일지 넘겨짚어 보았다.

친목이나 자기 계발을 목적으로 나온 사람도 있었고, 아닌 척하며 이성을 만나러 온 사람들도 있었다. 학창 시절엔 내가 스스로 선택하지 않고, 그저 같은 동네에 산다는 이유만으로 같은 학교 같은 반 친구가 되었다. 그렇게 우연히 만났지만, 함께 하면 하루 종일 웃음이 끊이지 않을 만큼 둘도 없는 친구가 될 수 있었다. 그러나 성인이 된 지금, 내 의지로 내가 선택한 모임에 와서도 그때만큼 마음이 편하지 않다는 것이 참 아이러니하다. 그렇게 낯선 사람들과 낯설지 않은 척 시간을 보낸다.

"오늘 너무 재밌었어요. 어느 쪽으로 가세요?"
"저는 이쪽이에요."
"아 그렇구나. 저는 저쪽이에요. 다음에 또 봬요."
그렇게 반가운 인사를 마치곤 이어폰을 꽂고 반대 방향으로 걸어간다. 도망간다.

사실 나도 그쪽인데.

나를 짓누르는 어둠을 한강에라도 내던지고 싶어 무작정 달렸다. 뺨에 닿는 가을밤 바람이 차가웠다. 맞은 편에서 까르르 웃는 어린아이와 세상을 다 가진 듯한 미소를 짓는 부부가 오고 있었다. 나도 언젠가는 저렇게 행복할 수 있을지, 저렇게 되어야만 행복할지, 복잡한 생각이 들자 더 빠르게 달렸다. 이제 그 아이와 부모는 저 멀리 작아져 보이지 않았다. 그리고 단체로 무리를 지어 달리는 사람들이 러닝 구호를 외치며 내 옆을 추월해 갔다.
얼마나 달렸는지 눈앞의 풍경이 달라질 때쯤 숨이 차오르고, 다리가 후들거렸다. 지금 멈추면 또다시 머릿속이 복잡해질까 두려워 더 달리고 싶었지만 내 몸은 내 마음과 같지 않았다. 천천히 숨을 고르니 그제야 눈에 들어왔다. 아스팔트를 뚫고 자란 마리골드 꽃 하나가 나에게 손짓했다. 나도 이렇게 잘 자라고 있으니, 너도 힘을 내. 그 옆에는 잔디 보호 팻말이 아슬아슬하게 넘어져 있었고 그 팻말 너머에는 사람들에게 밟혀버린 잔디들이 있었다. 흔한 잔디 따위 아무것도 아니라는 듯 무심하게 밟혔지만, 잔디는 씩씩하게 다시 자라고 있었디. 이어폰을 빼고 고개를 돌려보니 저 멀리서는 졸졸 흐르는 시냇물 소리와 새 소리가 정겹게 들려왔다. 머릿속 소음을 끄고 그저 내 눈앞의 생명들을 바라보니 조금은, 아주 조금은 편안해졌다.

온전함이란 경제적, 심리적, 사회적 독립이 된 하나의 주체로 존재하는 것이다. 완전하다는 것은 완벽함과 같은 뜻이고 사람에게는 적합하지 않으므로 나는 온전함이라고 쓰겠다. 본래 온전한 사람은 스스로 존재하는 행복을 불러일으키며 살 수 있다. 에리히 프롬은 저서 '사랑의 기술'에서 홀로 있을 수 있는 능력이야말로 누군가를 사랑할 수 있는 능력의 조건이 된다고 말한다. 그만큼 혼자서도 불안하지 않고 자립할 수 있는 상태여야 그다음 단계인 타인에 대한 사랑이 가능하다는 뜻이다.

철학자 쇼펜하우어 또한 인간의 불행 중 상당수는 혼자 있을 수 없어서 생기는 일이라고 하며 고독이 없었다면 인류는 지금까지 존재하지 못했을 것이라 역설했다. 또한 혼자로서 느끼는 고독을 경험하지 못한 인간은 모두 길들여진 타인이라 말한다. 그러나 나는 혼자가 아니라 함께일 때 온전하다. 그래서 나는 아직 온전하지 못하다. 불완전한 나는 혼자여서 공허하고, 쓸쓸하다.

나는 직장에서 온전히 한 명의 몫을 해내고 와서도 집에 돌아와 불완전함을 느낀다. 혼자 하루 내내 돌아가는 제습기 소리에 불완전함을 느낀다. 의자 위에 널려 있는 옷가지들이 어지럽다. 터질 듯이 쌓여 있는 쓰레기봉투가 퀴퀴하다. 싱크대 안에는 언제부터 있었는지 모를 그릇에 밥알이 딱딱하게 눌어붙어 있다. 계절 지나 퀴퀴 묵은 털옷이 쓸쓸하다. 베개 위에 깔린 수건이 눅눅하다. 잠시라도 적막하면 안 되는 것처럼 보지도 않는 티비를 켜고 그 소리에 이 쓸쓸함을 묻어본다. 자기 전 습관처럼 틀어본 플레이리스트에서 노래가 흘러나온다. 제목은 'This house is not a home.'

This house don't feel like, house don't feel like home…

일주일간 차가운 기운이 감도는 직장에서 썼던 가면을 벗어 던지고 나와 고향으로 먼 길을 떠난다. 금요일 밤의 들뜬 공기를 맞으며 고향에 간다. 기차역에서 나를 반겨주는 부모님이 보인다. 나는 그때 온전함을 느낀다. 엄마의 미소에서 온전함을 느낀다. 미소 짓는 것은 엄마인데 내가 온전함을 느낀다. 반가워하는 것은 아빠인데 내가 온전함을 느낀다.

주말 아침, 벌써 해가 중천에 떴다며 얼른 일어나라는 엄마의 말에 눈을 뜬다. 휴대폰을 열어보니 아직 8시도 안 되었다. 엄마의 과장 섞인 잔소리가 왠지 싫지 않다. 창밖에서 지저귀는 새 소리에 웃음이 난다. 거실에서 들리는 가족들의 말소리가 떠들썩하다. 뽀송하게 돌아가는 제습기 소리에 온전함을 느낀다. 햇빛에 일광욕하는 가족들의 빨랫감들에 온전함을 느낀다. 내 자취방보다 몇 배는 많은 쓰레기 더미에도 온전함을 느낀다. 엄마가 꾹꾹 가득 눌러 담은 공깃밥이 따끈하다. 부엌 밖에서 들려오는 발소리가 정겹다. 이어 들어오는 아빠의 미소가 따뜻하다.

반찬통이 가득 담긴 가방을 들고 서울로 돌아와, 다음 주 기차표를 구하기 위해 홈페이지에 들어가 본다. 고향으로 내려가는 주말 기차표는 벌써 한 달 뒤까지 모두 매진이다. 아쉬운 마음에 환승의 환승까지 검색했지만 모두 매진이다. 그리고 떠올랐다. 금요일 밤, 기차를 놓칠세라 급히 달리던 수많은 사람들. 일요일 저녁 가족들과 아쉽게 포옹하며 기차에 오르는 사람들.

아, 나만 그런 게 아니었음을, 나만 그리운 게 아니었음을, 나만 외로운 게 아니었음을.

신에게 물어보고 싶다. 인간은 혼자서는 온전할 수 없냐고.
아마 답을 하지 않으실 것 같다.
신 그 또한 혼자이며 불완전한 게 분명하다.

[달콤한 포도]

여우가 말했다. "나는 저기 나무에 달린 달콤한 포도가 먹고 싶어."

지나가던 다른 여우가 말했다. "너는 이미 레몬을 이만큼이나 가지고 있잖아."

"이 레몬은 시고 맛이 없어. 나는 저 달콤한 포도가 먹고 싶다고."

"그런데 저 포도가 정말 달콤한지 모르잖아. 막상 먹어보면 네가 가진 레몬만큼 실지도 몰라."

사실 이 이야기는 한 이솝우화 이야기를 반대로 바꾼 이야기다. 심리학자 프로이트는 인간은 자아를 보호하기 위해 자아가 위협받는 상황에서는 본능적으로 방어기제를 발동한다고 말했다. 이솝우화에서 배고픈 여우는 포도나무를 발견했지만, 나무가 너무 높아 오를 수 없었다. 어차피 먹지 못할 포도를 보고 여우는 생각했다 '그래, 저건 분명 신 포도일 거야.' 이는 내가 가지지 못한 대상의 가치를 실제보다 낮추어 평가하는 '신 포도' 방어기제이고, 반면 자신이 가진 것의 가치를 실제보다 높게 평가하는 것을 '단 레몬' 방어기제라고 한다.

하지만 나는 이보다는 사람들의 '단 포도와 신 레몬'을 종종 보곤 한다. 내가 가진 레몬의 소중함은 알지 못한 채, 자꾸 저 멀리 달린 달콤한 포도를 원하는 모습을. 그것이 나에게 진정한 만족을 가져다주는지 확신이 없는 상태에서 말이다. 인간은 자신이 현재 가진 것에 대해 만족할 수 없기 때문에 내가 가지지 못한 것에 대한 결핍을 원망한다.

현재에 결핍을 느끼기 때문에 사람들은 열심히 공부해서 대학에 진학하고, 취직을 한 뒤 결혼을 한다. 지금보다 더 나중의 다음 단계를 이루고 나서, 그 후에는 행복할 것으로 생각하기 때문이다. 아니 착각하기 때문이다. 대학생일 때 나는 취직만 하면 모든 것에 만족한 삶을 살 것이라 생각했다. 분명 착각이었다. 교회는 친구 따라 몇 번 가본 게 전부고, 절은 수학여행 때 불국사에 갔던 게 다지만, 매일 하나님, 부처님, 알라에게 빌었다. 이번 시험에 합격만 하게 해주면 어떤 시련이든 다 이겨내겠노라, 간절히 청했다.

그리고 지금의 나에게 그 간사한 의지는 남아 있지 않았다. 합격만 하면, 취업만 하면 어떤 힘든 일이든 다 맡겠다 다짐했던 그 열정 많던 아이는 어디로 가고, 오늘도 초점 없는 눈으로 하릴없이 피씨 카톡만 들락거리며 모니터 하단의 시계만 노려본다. 간절히 원하던 그 대학생은 이제 다른 것을 원했다. 더 넓은 집, 비싼 차, 낭만적인 휴가, 멋진 연인 그리고 달콤한 포도.

사람들은 자신에게 불평하는 것을 넘어, 내 옆에 있는 사람에게도 만족하지 못한다. 행복한 삶을 원하기에 사람들은 평생의 동반자를 여기저기서 찾아 다닌다. 그렇게 나를 즐겁게 해주고, 부모님처럼 자신에게 한없는 사랑을 바쳐줄 누군가를 찾아다닌다. 내가 가진 결핍을 나 대신 채워줄 누군가.

사람들은 여기서 또 한 번 자신이 가진 레몬이 시다고 투덜댄다. 누구는 돈이 없다며, 누구는 차가 없다며, 또 다른 이는 직업이 별로라며 다른 누군가를 찾아 나선다. 하지만 불만족은 사라지지 않는다. 돈은 많지만 학벌이 별로라며, 직장은 좋지만 외모가 아쉽다며, 집안은 좋지만 나이가 많다며 또 다시 어딘가로 찾아 나선다. 그리고 찾을 수 없었다. 그렇게 결국 아무에게도 만족할 수 없다. 자신에게 만족하지 않으니까. 내 안의 빈 곳을 무언가로 메꾸기 위해 불만족이라는 형체 없는 대상을 탓하는 것이다. 그래서 새로운 연인을 찾아도 내 불만족은 사라지지 않고 그 대상에 내 결핍을 투영한다. 무한히.

연애를 넘어 결혼을 해서도 마찬가지다. 내 남편은 옆집 남편보다 돈을 더 많이 벌어오길 원하는 욕심, 내 아내는 친구 아내보다 좀 더 예쁘고 날씬했으면 하는 마음. 내 아들은 내 동창 아들보다 공부를 잘했으면 하는 그 욕심에 꾸중하고 잔소리한다. 오늘도 건강히 집에 돌아온 것에 만족한다면 더 이상 바라는 게 없을 텐데. 하나를 해주면 둘을 바라고, 둘을 해주면 열을 바라는 것이 만족하지 못하는 사람의 모습이다. 지금 내 옆에 있어 주는 것에 만족하지 못하고, 내 손에 있는 레몬에 감사하지 못하고 타인과 비교하며 작은 불만족에 집중하는 그 마음 때문에 불행하다. 그게 대부분의 사람이고 나도 그렇다.

사람들은 생각한다. 내가 조금만 돈을 더 많이 벌면, 조금만 더 높은 직급으로 승진하면, 조금만 더 좋은 집을 사면 행복해질 거라고. 사실 그 조금이라는 것은 결핍된 마음의 양과 같다. 내 안의 불만족한 마음 그 마음만큼이다. 그 마음이 충족되지 않으면 아무리 많은 포도를 손에 넣어도, 더 많은 포도, 더 큰 포도를 가지고 싶을 것이다. 돈을 많이 벌어도 그보다 더 많이 버는 사람을 부러워하게 되고, 서울에 집을 사도 그때는 강남에 사는 친구의 집을 욕심 내게 된다.

에크하르트 톨레는 저서 '삶으로 다시 떠오르기'에서 사람들은 존재 그 자체에 만족하지 못하고 무엇인가에 자신을 동일화한다고 말했다. 그 무엇인가는 지위나 명예, 신앙, 고급 브랜드의 상품, 외모 등등이다. 하지만 인간은 무엇과 동일화되든 결코 만족할 수 없고 계속 동일화될 외부의 대상을 찾아다닌다고 말했다. 이처럼 사람은 지금 가지고 있는 것과 다른 더 좋은, 더 비싼, 더 근사한, 아니 그럴듯하게 '보여질' 무언가를 쫓아다닌다.

인간은 자신이 가진 행복보다 가지지 못한 결핍에 집착한다. 내 손에 있는 레몬보다 저 나무 꼭대기에 달린 포도를 갈망한다. 그래서 불행하다. 이미 손에 많은 걸 쥐고 있음에도 하나를 더 가지려다 이미 쥐고 있는 것까지 놓쳐버리게 된다. 지금 내가 가진 레몬에 기뻐하지 않으면 나중에 포도를 가지게 되더라도 만족할 수 없다. 지금 만족하지 않으면 행복을 느낄 수 있는 순간을 놓치기 마련이다.

행복은 두 가지가 있다. 첫 번째는 행복한 순간이 지나고 '아, 그때가 정말 행복했지.'하는 것. 두 번째는 행복한 그 순간에 '아, 정말 행복하다'하는 것. 후자가 더 드물다. 행복과 만족이란 것은 기다려 주지 않는다. 내가 행복한 그 순간에 감사해야 한다. 그렇지 않으면 불만족이란 아이가 옆에서 칭얼댄다.

내가 가지지 못한 것을 갈망할수록, 지난 시간을 돌아볼수록, 아직 오지 않은 나날들을 걱정할수록 지금 여기에서의 행복과는 멀어지기 마련이다. 현재 내가 가진 레몬에 만족하며, 지금 느끼는 행복에 만족하는 나날들을 보내기를.

하지만 나는 오늘도 나의 달콤한 포도를 찾아 집을 나선다.

[그럼에도]

여느 때처럼 집으로 돌아가는 길, 모처럼 날씨가 좋아 커피가 맛있다는 카페에 들렀다. 커피 한 잔을 들고 선정릉 둘레길을 걸었다. 집이랑 멀지 않은 동네인데 처음 보는 가게들이 많았다. 그리고 한 귀퉁이 옆에 작은 꽃집이 있었다. 꽃집 앞에는 갈색 플라스틱 화분에 알록달록한 꽃들이 담겨 있었고, 그 옆에는 향기 나는 허브 하나가 있었다. 화려한 꽃은 없지만 향긋한 냄새가 매력적이었다. 푯말에 적힌 이름은 '레몬밤'.

그날 레몬밤 한 봉투를 사서 씨앗 한 꼬집을 화단에 뿌렸다. 매일 들여다보며 물을 주고, 잡초를 뽑아주며 사랑을 주었다. 며칠이 지나도 새싹이 보이지 않아 이미 죽어버렸나 걱정했지만 한 번 자리를 잡기 시작하더니 키가 무척이나 쑥쑥 자랐다. 하루하루 커 가는 모습에 익숙해지던 지난여름, 고향에 잠시 내려오는 바람에 화단을 방치했다.

한 달이 지나 찾아간 화단에는 그 전과는 비교가 되지 않을 정도로 무성히 자라 있었다. 왜 나를 돌보지 않았냐는 원망과 함께, 당신 없이도 나는 이만큼이나 잘 자랐다고 뽐내며 가지를 자랑했다. 무더운 여름, 태풍과 장마를 버티고 홀로 참 잘 버텨내었다. 작은 새싹 시절과는 다른 강인한 생명력이 느껴졌다. 이전과는 다른 모습이었다. 레몬밤으로 찻잎을 우리느라 잎사귀를 마구 떼어내도 다음 날이면 보란듯이 새잎이 돋아났다. 태풍과 비가 거셌던 덕분일까. 힘들었던 만큼 참 많이 단단해졌다. 옛 조상님들 하는 말 중 틀린 말 하나 없다. 비 온 뒤 더 단단해졌다. 아무도 찾아오지 않는 시간, 외롭고 쓸쓸했던 시간, 그 시간만큼이나, 그 고독만큼이나 강해져 있었다.

아무도 찾아오지 않으면 나 자신과 함께하면 된다. 더 이상 물을 주지 않는다고, 잡초를 뽑아주지 않는다고 불평하는 것은 하루 이틀이면 족하다. 그다음은 열정이 필요하다. 햇살을 향해 가지를 뻗어낼 힘이 필요하다. 매일 자신에게 말했을 거다. 넌 할 수 있다고. 혼자서도 이겨낼 수 있다고. 모두가, 온 세상이 널 응원하고 있다고. 그렇게 그 레몬밤의 향기는 더 진해졌다. 한 번 맡으면 기억할 수밖에 없을 만큼 향긋해졌다.

쓸쓸한 가을바람에, 지나가는 이의 숨결에 향기를 더해주었다. 그 순간의 향기는 그이의 하루를 향긋하게 밝혀주었다. 그렇게 다른 누군가에게 선물을 주는 레몬밤이 되었다. 날아드는 나비에, 기어 오는 애벌레에, 그리고 나에게 향기로운 생명이 되었다. 그게 매일같이 레몬밤이 잎을 틔우는 이유고, 뜨거운 태양 향해 팔을 뻗는 이유고, 그게 성장이다.

"온실 속의 화초는 금방 죽기 마련이야. 사람도 힘든 일이 있어야 더 강해지는 거고." 내가 어릴 때, 힘들다고 투덜댈 때마다 어머니가 종종 하시던 말씀이다.

"그럼, 평생 온실에서 살면 되는 거 아니야? 나는 계속 온실 속 화초로 살고 싶은데."

열일곱의 나다.

그러나 지금 나는 이별 후에 사랑의 소중함을 알았고, 혼자가 된 후에 가족의 따뜻함을 알았다. 인내 후에 성공의 기쁨을 알았고, 실패를 통해 나의 부족한 점을 알 수 있었다. 그렇게 좌절 후에 다시 일어날 원동력을 얻었다.

한때 첫사랑과 이별하고 한동안 베개에 코를 박고 내내 울기만 했다. 처음 겪는 상실감에 맥을 추리지 못하고 홍수에 떠내려가는 작은 나무처럼 감정에 휩쓸려 다녔다. 그러다 어느 날, 이렇게 있을 수만은 없다며 일어섰다. 책 속에 해답이 있을 거라 생각하며 출퇴근길 버스에서 틈날 때마다 책을 읽었다. 그땐 내 관심을 다른 곳으로 돌리기 위한 일종의 발버둥이었지만 그 시절 덕분에 나는 많이 성장했다.

책을 읽으며 문득 떠오른 아이디어로 기회를 만들어 새로운 사업에 도전해 보기도 했고, 책을 통해 나에게 많은 지혜와 영감을 주는 사람들을 만날 수 있게 되었다. 점점 과거의 타인보다는 미래의 내 인생에 초점을 두게 되었다. 예전에는 해보지 않았던 새로운 경험을 시도하며 혼자 장기 해외여행을 떠나 보기도 했고, 직장이나 학창 시절 친구가 아닌 나와 전혀 다른 분야의 사람들도 만나보았다.

그렇게 더 넓은 세상에 나가면서 내 시야도 더욱 넓어졌다. 다시 떠올리면 아픈 이별의 기억이지만, 이를 극복하는 과정에서 얻은 것들이 참 많았다. 그렇게 이별 전의 나와 이별 후의 나는 다른 사람이었다. 완전히.

누군가 말했다. 나이가 들수록 눈물이 많아지는 이유는 공감할 수 있는 아픔이 많아져서라고. 하지만 그만큼 성장했다는 뜻이기도 하다. 수많은 아픔을 겪으며 분명 새로이 깨달은 것들도 많아질 테니까. 나는, 내 친구와 가족들은, 아니 온 세상 사람들이 그러길 바란다. 떨어지면 깨지는 유리구슬이 아니라 그럼에도 튀어 오르는 탱탱볼이 되기를. 밟히면 죽는 잔디가 아니라 그럼에도 더 튼튼하고 굳센 잔디로 자라나기를.

최초로 '회복탄력성'이라는 개념을 제시한 김주환 교수는 회복탄력성이란 자신에게 닥치는 온갖 역경과 어려움을 오히려 도약의 발판으로 삼는 힘이라고 말했다. 그러한 실패와 슬픔이 있었음에도, 그럼에도 이를 발판 삼아 튀어 오르는 힘이다. 역경을 그저 힘들고 부정적인 불운이라고 생각하지 않고, 긍정적인 기회로 받아들여 그것을 도약의 기회로 삼는 힘이다. 작가 하이케 필러 또한 '100 인생 그림책'에서 어려운 시절을 견딘 사람이 기쁜 일을 더 소중히 여긴다고 말했다. 큰 어려움 없이 살아온 사람들은 인생에 대해 기뻐하는 일을 더 힘들어한다.

어릴 때 좋아하던 영웅 만화를 떠올려 보면, 어떤 주인공도 늘 성공만 하지 않았다. 어느 날은 악당에게 인질로 잡히기도 하고, 또 다른 날은 집이 홀랑 불타버리기도 한다. 하지만 결말은 어땠나. 그럼에도 결국 원하던 꿈과 사랑, 사람을 얻고 이야기는 해피엔딩으로 마무리된다. 나는 가끔 내가 예상치 못한 일들을 마주할 때마다 생각한다. '그래 어디 한 번 와 봐. 내가 멋지게 모두 해내 버릴 테니.' 유치한 만화 영화 대사 같지만 나름 효과가 좋다. 긍정의 힘이라고 하지 않던가.

사실 지금도 마음 한 켠에선 거실 바닥 한 가운데에 드러누워 떼를 쓴다. 온실 속 화초로 평생 살고 싶다고. 앞으로 미래에 올 힘든 일들을 겪고 싶지 않다고. 그런데 어쩔 수 없다. 어차피 내 뜻대로 흘러가지 않는다. 그럼에도 내가 불행을 이겨내야지. 불행이 나를 비켜가는 건 아니니까.

[지구 배지를 찾아서]

던져진 존재. 독일의 철학자 하이데거는 인간을 내던져진 존재라고 말했다. 실존주의자 사르트르도 인간은 아무런 목적 없이 이 세상에 내던져진 존재임과 동시에 스스로 내어던지는 존재라고 했다. 그렇다. 모든 인간은 세상에, 이 지구에 내던져진 존재다.

어느 누구도 자신의 의지에 의해 태어난 사람은 없다. 하지만 대부분의 어린이들은 모른다. 내가 어떠한 사명, 대단한 목적을 이루러 세상에 왔다고 생각한다. 적어도 나는 그랬다. 겨울만 되면 볼이 홍당무처럼 빠알갛던 어린 시절의 나는, 소독차 뒤꽁무니를 졸졸 따라가던 나는 그랬다.

초등학생 5학년 때, 나는 미국의 하버드 대학에 진학해 어느 분야에서든 대단한 존재가 되어 있을 거로 생각했다. 4절지 스케치북을 부욱 찢어 책상 앞에 포스터처럼 붙여 '목표 : 하버드 대학'을 써 놓기도 했다. 우주 과학자를 꿈꿀 때는 달에 인류 첫발을 내디딘 닐 암스트롱처럼, 새로운 행성에 내 발자국을 남기며 네이처지의 첫 면을 장식할 거로 생각했다. 가수를 꿈꿀 때는 소녀시대만큼 인기 많은 연예인이 될 줄 알았고, 화가를 꿈꿀 때는 데미언 허스트처럼 세상을 놀라게 할 작품을 만들어 내 이름 석 자로 파리에서 성대한 전시회를 열 거라고 상상했다.

그렇게 이 넓디넓은 지구에 의미 있는 기여를 하는 멋진 어른으로 성장할 줄 알았다. 분명 그럴 것이라고 믿었고 절대로 평범한 인간이 되진 않을 거라 확신했었다. 비단 나만의 이야기는 아닐 것이다. 누구나 호기롭게 '나는 당연히 서울대에 가겠지' 생각했던 땅꼬마 시절이 있었을 테니까.

엘킨드는 이를 청소년기 자아 중심성 특징 중 하나인 '개인적 우화'라고 개념 지었다. 개인적 우화란 나는 특별한 존재이기 때문에 다른 사람들, 평범한 다수의 사람과는 완전히 다르다고 생각하는 것이다. 내가 느끼는 감정, 생각, 느낌은 나만의 것이고 나만 경험할 수 있는 것이라고 믿는다.

아마 이런 환상이 부서지는 건 대부분 20대 초중반 시절이 아닐까. 코 묻은 돈으로 학교 앞 포장마차 떡볶이를 사 먹으며 꿈꾸던 대학과는 저 멀리, 몇 리는 동떨어진 대학교에 들어가면서 그 환상은 와장창 깨져버렸다. 서울역 광장의 비둘기가 쪼아버린 강냉이마냥 무참히 바스러졌다.

두꺼운 전공 서적을 액세서리삼아 작은 가방 하나를 메고 강의실에 들어선다. C+ 한 과목을 만회하기 위해 계절 학기를 신청했다. 자장가 같은 교수님의 강의를 듣다가 문득, '이게 내가 꿈꾸던 대학 생활인가?' 쓴웃음을 짓는다. 나만 그랬던 건 아니다. '중2병'에 이어 '대2병'이라는 우스갯소리가 메인 뉴스 기사에도 떠돌았으니까.

하지만 흘러가는 세월이라는 강물에 몸을 띄워 보내다 보면 그런 사치스러운 생각은 잠시 흘려두게 된다. 두꺼운 책 속에 끼워 놓은 비상금처럼 어느새 잊어버리고 졸업을 한 뒤 회사에 들어간다. 첫 직장에서 남에게 돈을 벌어먹는다는 게 얼마나 힘든 일인지 실감하며 바쁘게 첫해를 보낸다.

5분 간격으로 맞춘 알람이 시끄럽게 울린다. 마지막 알람에 마지못해 일어나 침대에서 빠져나온다. 눈 비비며 쓰나미 같은 지옥철을 타고 출근한다. 그렇게 한 해 한 해가 지나간다. 어느덧 회사 생활도 익숙해지고 꽃 피는 봄이 되면 예전의 사치스러운 생각이 스멀스멀 피어난다. '내가 꿈꾸던 어른의 모습인가?' 내가 상상했던 직장인은 영화 '인턴'의 앤 해서웨이처럼 도도한 커리어 우먼이 아니었던가.

쓰디쓴 아메리카노도 매일 아침 여유롭게 마실 줄 아는, 그런 어른이 되면 무엇이든 척척 잘 해낼 거라 믿었는데. 정작 나는 밥 짓는 것 하나 제대로 하지 못한다. 물 조절 하나를 못 해서 하루는 생쌀처럼 고슬고슬한 밥을 먹었다가, 하루는 죽처럼 진밥을 먹는다. 난 아직도 사약 같은 아메리카노보다 달달한 휘핑크림 듬뿍 얹은 초코라테가 좋다. 가끔은 상사에게 몇 마디 꾸중을 듣고 엄마에게 부리나케 전화해 퇴사할 거라며 울기도 한다. 그리고 다음 날 정시에 재깍 출근한다.

보여주기식 보고서를 기깔나게 작성하기 위해 태어났던가,

주말만 목 빠지게 기다리기 위해 태어났던가,

잠시 내 통장을 스치는 월급으로 가끔 혀가 얼얼해지는 마라탕 사먹기 위해 태어났던가,

언젠가 내 집 마련을 할 수 있으리라 꿈꾸며, 쥐꼬리만 한 월급에서

꼬리털 한 조각 떼어 주택 청약 넣기 위해 태어났나.

그러한 이유라면 너무 멋없다. 적어도 한 생명을 살리는 명의가 되어 있던가, 눈부시게 삐까뻔쩍한 조명을 받으며 춤추는 화려한 아이돌이 되어 있던가, 비즈니스석을 타고 여러 나라를 누비며 수백억을 버는 사업가가 되어 있던가. 이게 뭐람. 네이버에 검색하면 내 이름 석자 정도는 나올 정도는 되어 있을 줄 알았는데.

내 책장에 꽂힌 책들이 세상에 외친다.
「어떻게 인생을 살 것인가」_쑤린
「내 삶의 의미는 무엇인가」_이시형, 박상미
「왜 일하는가」_이나모리 가즈오
…
죄다 물음표다.

그런데 베스트 셀러 작가든, 유명한 철학자든, 초인에 등극한 지식인이든, 그냥 지나가던 네티즌 1의 댓글이든, 답은 비슷했다. '인간은 그냥 내던져진 존재. 그 이상도 그 이하도 아니다.' 이 사실을 깨닫고 나니 오히려 마음이 한결 편해졌다.
내던져진 김에 멋지게 착지하면 되지. 내던져진 김에 멋지게 점프하며 날아오르면 되지. 태평양처럼 넓은 어깨를 가진 수영 선수처럼 다이빙하며 착지할 수도 있고, 아이언맨 헬멧을 쓴 우주 비행사처럼 로켓을 타고 착륙할 수도 있다. 그렇지 않더라도, 반드시 대단한 사람이 아니어도, 사람들이 인정해 줄 만한 돈과 명예를 갖지 않아도, 나만의 행복을 찾아 그저 즐기며 살면 되는 것을. 오래도 고민했다.

'아버지는 말하셨지. 인생을 즐겨라. 재미나게 사는 인생. 자, 시작이다.'

대한민국 사람이라면 누구나 알만한 한 카드회사의 CM송이다.

그렇게 나는 어느 정도 개인적 우화에서 벗어나 어른이 되어 갔다. 하지만 이런 나라도 어린아이를 만나면 너는 무엇이든 될 수 있다고 말해준다. 희망이라는 비눗방울을 최대한 크게 불어 준다. 아이들이 뛰노는 놀이터에서 비눗방울 하나 들고 후 불어본 적이 있는가? 그 순간만큼은 방탄소년단, 핑크퐁 저리 가라 할 인기를 얻을 수 있다. 아이들은 날아오르는 비눗방울들을 잡으러 폴짝폴짝 뛴다. 뛰어오른다. 날아오른다.

빨간 비가 홍수처럼 내리는 수학 시험지를 받아 오는 아이에게도, 일 더 하기 일은 귀요미라는 열댓 살 아이에게도 말한다. 네가 꿈꾼다면 CNN 방송사의 유명한 앵커가 될 수도 있고, NASA에 들어가 우주여행을 하는 우주 비행사가 될 수도 있고, 한 나라의 미래를 결정하는 대통령도 될 수 있다며. 불난 꿈에 부채질한다.

그 아이가 정말로 그렇게 될지는 나도 모른다. 사실 마음속 깊은 곳에선 설마 대통령까진 못될 거로 생각한다. 하지만 그래도 말해주고 싶었다. 너는 무엇이든 할 수 있고, 무엇이든 될 수 있다고. 학교 운동장 흙으로 개미에게 집을 지어주며 뿌듯해하는 그 시절엔 큰 꿈을 꿀 수 있으니까. 콩 심은 데 콩 나고, 팥 심은 데 팥 나는 거라고 하지만, 나는 인정하고 싶지 않다. 그렇지 않다고 말해주고 싶다. 백만 년에 한 번쯤은 콩 심은 데 팥 나고, 팥 심은 데 콩 날 수도 있는 거 아닌가. 실현되든 아니든 꿈꾸는 건 자유다. 꿈꾸는 그 순간만큼은 정말 행복하니까.

　영화 '소울'에는 지구에 관심 없는 영혼 '22'가 등장한다. '태어나기 전 세상'에 사는 다른 영혼들은 모두 지구 배지를 받아 지구에서 인간으로 태어나길 원하지만, 영혼 '22'만은 그렇지 않다. 자기 심장을 뛰게 하는, 열정을 쏟을 만한 무언가를 발견하면 지구 배지를 얻을 수 있지만 영혼 '22'는 지구 배지 따위는 관심이 없다. 하지만 갑작스러운 사고로 지구 세상을 떠난 '조'의 영혼과 만나면서 달라진다. 조와 함께 재즈를 듣고, 드럼과 기타를 치고, 노래를 부르며 음악을 사랑하게 된 '22'는 결국 지구 배지를 손에 얻게 된다.

　꿈 꾸는 아이들이 다들 자신만의 지구 뱃지를 받아 큰 꿈을 펼치기를 바란다. 사실 내가 그러길 바란다. 내 심장을 뛰게 할만한 무언가, 시간 가는 줄 모르게 밤낮없이 열정을 쏟을 만한 무언가를 발견하고 싶다. 세상을 빛내는 사람이 되겠다던 어릴 적 작은 소망이 아직 잿더미 속 불씨처럼 남아있는 까닭일까.

　하지만 지구 배지를 빨리 발견하지 못해도 괜찮다. 나는 그저 지구에 '던져진' 존재니까. 그냥 그 자리에 존재하면 된다. 나는 나로서 존재한다. 이 세상에 던져진 이상 즐겁게 살아갈 수밖에 없다. 하루하루에 충실하며 기쁘게 살아갈 수밖에. '행복하게 던져진' 존재가 될 수밖에.

모든 건 흙에서 시작된다

서화정

서화정   IT기업에서 사람들의 문제에 공감하며 해결하는 일을 하고 있다. 어릴 때부터 공상을 사랑했고, 그 안에서 만들어진 세계를 동경했다. 내 서랍 한 구석에는 아직 다 못 풀어낸 세상들이 오래된 종이 위에서 꿈틀거린다. 이야기를 활자와 이미지로 풀어내는 것 모두 좋아한다. 여운이 남는 문장들을 아끼며, 그런 글들을 나누고 싶다.

사람에게는 저마다의 감자가 있다. 어떤 사람에게 감자는 다채로우면서도 가벼울 수도 있고, 어떤 사람에게는 한없이 묵직하게 아래로 짓이겨 누르는 것일지도 모른다. 흔히 그 새싹은 가족에게서 피어나기 마련이다. 나의 가장 연약한 민낯을 드러내면서도, 동시에 가장 두꺼운 벽을 세울 수도 있는 곳도 바로 집이 아닐까. 식사를 끝내고 바삐 치우고 있는 연이네 가족도 마찬가지이다. 가벼운 것부터 무거운 것까지, 한 번 그 흘러가는 속사정의 갈피를 꼬집어 잡아 펼쳐보려고 한다. 어쩌면 나와 당신, 우리의 이야기가 담겨있을지 모른다.

감자 준비

장작에 남아 있는 불꽃이 아직 힘차게 일렁였다. 올해 8살 연이는 그 고사리손으로, 마당 안 긴 테이블에 놓여있는 젓가락들을 정리했다. 영석은 연이의 머리를 가볍게 쓰다듬었다. 그러고는 테이블 위에 먹다 남긴 음식들을 한쪽에 있던 살구색 접시에 모아 정리하기 시작했다. 영석의 재킷에서도, 연이의 나풀거리는 머리카락에서도 짙은 고기 내음이 불꽃을 따라 흔들렸다. 연이는 양손 한가득 젓가락들을 쥐고는, 열린 문으로 쏙 들어갔다. 8시 뉴스 시작을 알리는 앵커의 나지막한 목소리가 종걸의 방 창문 시이로 새어 나왔다. 주방에서는 연이의 세 살 터울 동생 진우가 다현이 꺼내는 알루미늄 포일을 옆에서 구경하고 있었다.

"진우야, 우리 감자 맛있게 구워 먹자."

진우는 다현에게서 포일 한 장을 냉큼 받더니, 손으로 한 귀퉁이를 찢어 그 조각을 전등 빛에 이리저리 대보았다. 반사된 빛이 진우의 새빨간 볼 위에 머물렀다가 스며들었다. 어느새, 연이도 마당에 남아있던 마지막 컵을 가지고 집 안으로 다시 들어왔다. 방에서 노곤하게 졸고 있던 종걸이 연이의 홀가분한 발소리에 눈을 떴다. 종걸은 천천히 몸을 일으켜 앉고는, 방 한구석에서 지난번 동네 슈퍼에서 사 왔던 초콜릿과 사탕들을 한 움큼 꺼내어 아이들을 불렀다.

"아유, 아버님. 애들 단것 너무 많이 먹었어요."

"아가, 하나 정도는 괜찮아."

종걸은 막내 아들 영석의 며느리 다현을 늘 '아가'로 부르곤 했다. 다현은 못 말린다는 표정으로 연이와 진우의 등을 떠밀며, 얼른 가보라고 눈치를 줬다. 진우는 "와-"소리를 지르며, 종걸이 펼쳐 놓은 간식 꾸러미를 구경했다. 연이는 새초롬히 종걸 옆으로 다가와선, 제일 좋아하는 딸기 맛 막대사탕을 골라 바로 먹진 않고 주머니에 챙겼다. 종걸은 그런 아이들을 보며, 다시 옆으로 몸을 누였다. 뉴스에서는 설악산 단풍 시기에 대한 이야기가 흘러나왔다. 진우는 화면에 아롱이는 산 풍경을 구경하다가, 입술이 초콜릿 범벅이 되었다.

"감자는?"

영석이 집 안으로 들어오면서 다현에게 물었다.

"진우 이 녀석, 또 뭐 실컷 먹었구나. 감자 먹기 전에 입이랑 손 한 번 씻어, 알았지?"

"감자 아직 준비 안 됐어! 이것만 정리하고, 싸서 줄게."

다현이 주방에서 외쳤다. 진우는 초콜릿을 다 먹고, 화장실로 향했다. 손에 비누를 찔끔 묻혀, 초콜릿이 끈적하게 묻은 곳들을 대충 씻어냈다. 다현이 만든 샛노란 비누가 빛을 내며, 진우의 작은 손가락 사이사이로 흘렀다. 연이는 종걸과 함께 TV를 보다가 일어나서, 감자를 포일로 감싸고 있는 다현을 그 작은 손으로 야무지게 도왔다. 감자를 만지다 보니, 연이는 동생 진우와 작년에 간 여행이 문득 생각나기 시작했다.

갈피 1. Speaker/ 연이(30살), 진우(27살)

연이: 너 그때 생각나? 우리 어릴 때, 남해 민박집으로 여행 간 적

있는데.

진우: 내가 누나와의 추억을 기억하겠어?

연이: 어휴, 그때 아주 그냥 시장에 팔아버렸어야 했는데. ("하하")

진우: 근데 누나가 많이 이야기해서 알고는 있지. 부모님이 힘들게 시간 내서 갔던 첫 가족 여행이라고 했었지, 아마?

연이: 맞아, 그리고 내가 사실 그 여행 전까지는 널 임청나게 싫어했지.

진우: 어린애가 못됐어. 그 작고 귀여운 날 왜 싫어했대?

연이: [진우의 머리를 콩 쥐어박으며] 이러니까 싫어했겠지! 하여간 그때나 지금이나 능글맞아서는. 안 그래도 그게 왜 떠올랐냐면, 내가 방 정리를 하다가 대학교 때 일기장을 발견했다? 근데 그 여행에 대해서 썼더라고.

진우: 오, 한번 봐봐.

그 여행 전까지 나에게 진우는 겨울밤의 정전기처럼 묘하게 불편한 존재였다. 태어날 때부터 귀여움이라고는 하나도 찾아볼 수 없던 그 아이가, 썩 마음에 들지 않았다. 커다란 콧구멍도, 쪼매난 눈망울도 평범하기 그지없는데, 사실은 못생긴 두더지 같다고 남몰래 생각했는데 (진우: 아니, 두더지는 너무하네), 부모님이 멋있다고 항상 칭찬 일색인 것도 이해가 되지 않았다. 그전까지는 나만 예뻐했는데. 그런 생각도 다 어린 시절의 질투였겠지. 나도 참 그땐 영락없는 애라니까. 그래도 엄마, 아빠도 좀 심했지. 나만 보면 그렇게 피곤한 표정을 하며 이

것저것 도와달라고 하고. 특히, 그놈의 감자! 걔는 감자를 왜 그렇게 좋아했나 몰라, 감자만 보면 아주 그냥…

진우: 하하, 나 이때도 감자 좋아했어?

연이: 그럼! 내 감자까지 안 주면, 길 위든, 가게 안이든 바닥에 누워서 난리도 그런 난리가 없었지. 그래서 부모님도 포기하고, 결국엔 나한테 감자는 양보하라고 하더라. 내가 그때마다 얼마나 섭섭했는지.

진우: [싱긋 웃으며] 감자 맛있지. 이따 감자나 몇 개 먹어야겠다. 아니 근데, 맨날 나랑 싸우고 "못생긴 두더지, 얼른 네 친부모나 찾아가!" 소리쳤던 게 이때부터인가.

연이: 하하, 그렇지. 이때부터 두더지라고 생각하고 있었네.

진우: 정말, 이런 힘든 환경에서 이렇게 잘 자란 건 기적이야, 기적.

연이: 뭐래.

진우: 어디 내가 얼마나 더 괴롭힘당했는지, 일기 계속 읽어봐.

그러던 어느 날, '그 여행'을 가게 되었다. 사실 다른 건 기억에도 안 남을 정도로, 매우 평범한 가족 여행이었다. 남해가 잔잔히 보이는 오래된 민박집에서 우리 가족은 짐을 풀었다. 그날 밤에도 진우는 엄마가 싸 온 감자들을 누구에게도 안 주고 꼭 안고 있었던 걸로 기억한다. 아빠와 엄마가 민박집 주인 할아버지와 담소를 나누고, 마을 어디선가 불꽃놀이 하는 소리가 들렸다. 진우가 먼저 소리 나는 곳으로 달려갔고, 나는 그런 진우를 말리러 뒤따라갔다.

그 순간, '펑'하고 하늘에 불꽃이 피어올랐다. 차례대로 터지는 불꽃들이 어린 우리들의 마음을 어지럽혔다. "너희도 놀래?" 어디선가 동네 아이가 나타나선, 작은 불꽃놀이용 막대기 2개를 쥐여줬다. "저기 가면 불붙일 수 있어." 그 아이를 따라 내려간 곳에는 동네 아이들이 여럿 모여 있었고, 지금 생각하면 위험천만하게 불꽃이 붙은 막대기들을 들고 뛰어놀고 있었다. 막대기 끝에 **불꽃**을 달고는, 아이들은 한참을 즐겼다.

갑자기 한 아이가 무언가를 외쳤던 걸로 기억한다. 그러자 다들 어디론가 달려갔다. 우리도 뒤따라갈까, 서로의 눈치를 살피며 주저했다. 물웅덩이가 모랫길을 따라 퍼지듯 아이들이 멀어졌고, 우리 둘은 물길을 놓친 소금쟁이들처럼 제자리에서 바둥거렸다. 아이들의 사라짐은 순식간이었다. 일단 진우의 손을 꼭 잡았다. 진우는 눈이 동그래졌고, 나는 그 자리에서 얼어붙었다. 아무도 없는 바닷가에 우리 둘만 남겨졌음을 깨달았다. "누나."하고 진우가 불렀으나, 뒷말은 이어지지 않았다. 우리는 손을 꼭 잡고 바닷가를 따라 걷기 시작했고, 밤바다의 파도 소리와 매서운 찬바람이 소름 끼치게 귀를 스쳐 지나갔다. 한참을 걸어도, 그 어린 발로 몇천 걸음은 걸었던 것 같은데, 누구 하나 찾을 수 없었다.

연이: 이때 진짜 무서웠는데. 민박집 찾으려고 계속 걷다가, 결국 지쳐서 모래 위에 주저앉았거든. 그때부터 나는 울고불고 난리였지.

진우: 에이, 내가 괴롭힘당한 내용은 안 나오네. 근데 엄마, 아빠가

깜짝 놀랐을 것 같은데?

연이: 맞아, 첫 가족 여행이었는데 그런 일이 있어서, 그 후론 여행 이야기는 꺼내지도 못했어.

진우: 그렇게 어릴 때인데, 진짜 큰일 날 뻔했다. 어떻게 집으로 다시 갔어?

연이: 결국 2시간 가까이 돼서인가? 어떤 아저씨가 소리치며 다가오더라고. "애들, 여 있다! 찾았다!" 이러시면서. 그러고는 사색이 된 엄마가 달려와서, 우리 등짝을 때렸어, 하하. 알고 보니 부모님이 너무 놀라셔서, 민박집 할아버지와 함께 온 동네를 찾아다니셨더라고. 마을 어르신들도 깜짝 놀라서 찾기 시작하셨는데, 그때 우리에게 막대기를 줬던 아이들이 이쪽 주변일 거라고 말해줬나 봐. 어휴, 지금이야 웃지만, 조금만 잘못되었어도…

진우: 생각만 해도 등골이 오싹하다, 휴. 근데 누나는 이때 여행이 왜 그렇게 기억에 남아?

연이: 글쎄?

진우: 에이, 뭐야. 시시해.

나는 빙긋 웃으며, 오래된 일기장을 다시 상자 안으로 넣었다. 사실 그날은 나에게 일종의 다짐이다. 너와 나를 가득 채우는 다짐이자, 씨앗. 일기장의 마지막 페이지가 햇빛 아래 살포시 드러났다.

그날 눈이 벌게지도록 계속 울고 있는 내 옆에서, 진우는 이 상황

이 걱정되지도 않는지 천연덕스럽게 감자를 먹고 있었다. 이내 내가 목 놓아 꺼이꺼이 울자, 당황한 진우는 내 옆구리를 툭 치더니, "감자 조금 먹을래?"라고 말했다. 나는 덩달아 당황해서, "끅" 하고 딸꾹질했다.

그때는 사실 왜 당황했는지 잘 몰랐는데, 지금은 알 것 같다. 감자는 나에게 항상 감자 이상의 무언가였기 때문이다. 사실 진우에게도 그랬다. 진우에게 감자란 절대 포기할 수 없는 기쁨이었고, 나에게 감자란 항상 갈구하지만 끝내 얻지 못하는 무언가였다. 진우가 머쓱한 듯 내뱉은 "감자 조금 먹을래?"는 나에게는 상상도 못 했던, 있어서도 안 될 일이었다.

진우는 실수로 감자를 큼직하게 잘라주고는, 이내 아쉬운 듯 슬쩍 내 눈치를 봤다. "이만큼 다시 너 줄게." 받은 감자를 일부 나눠, 진우에게 돌려줬다. "줄게."라고 말할 때, 묘한 쾌감을 느꼈다.

상자를 방에 가져다 놓고, 정리를 마무리하였다. 거실이 조용했다. 진우가 어느새 잠들어 있었다.

"으이구, 방에 들어가서 자야지."

소파 위에 기대어 자는 진우를 살짝 들어 편한 자세로 바꿔주었다. 커다란 덩치의 진우를 들자니 숨이 찼다. 자세가 바뀐 진우의 잠옷 아래로 절단된 왼쪽 다리가 드러났다. 고등학교 때, 교통사고로 다친 왼쪽 다리는 무릎 아래가 비어있다. 나는 조용히 진우의 다리 끝을 쓰다듬었다. 어쩌면 어린 시절의 그날 밤은 나의 오기이다. 너를 지키고 싶은 내 마음이 만들어 내는 오기. 마음이 어지럽고 흔들릴 때마다, 다시 되돌아 가보는 연못 같은 기억. 잠이 든 진우의 손을 꼭 잡았다. 우리에게 그날은, 조금 과장하자면, 온전히 자신의 결정으로 서로를 위해 포기할 수 없던 걸 포기하고, 얻을 수 없던 걸 나눠주었던 첫 순간이었다. 나는 나지막이 중얼거렸다.

"어떤 힘든 순간에도, 내가 너에게 힘이 되어줄게."

익어가는 감자

불꽃 옆 포일로 감싼 감자들이 먹음직스러운 냄새를 풍기며 구워지고 있다. 영석은 감자들을 기다란 쇠 집게로 이리저리 굴려보았다. 어린 연이와 진우가 화로 옆에서 눈을 반짝이며 구경했다.

"참, 그때도 감자 지겹도록 많이 먹었는데." 영석이 긴 생각에 잠겼다.

갈피 2. Speaker/ 영석(31살)

다현이 갑자기 집을 나갔다. 공허한 적막만 가득한 텅 빈 집이 낯설게 느껴졌다. 그 침묵을 채우고자, 그리고 출출해진 내 배꼽시계를 잠재우고자, 집에 남아있던 감자 1개를 굽기 시작했다. 초조하게 떠는 다리를 부여잡으며, 다현이 그저 가게에 잠시 들리러 나간 거라고 애써 생각했다. 두 시간째 아무 소식 없는 다현을 기다리며, 애꿎은 바닥만 노려봤다. 방에서는 잠자고 있는 연이와 진우의 숨소리가 쌕쌕 들려왔다. 30분만 더 기다렸다가 아이들을 데리고 나가서 다현을 찾아야겠다. 아무리 싸워도 이런 일은 없었는데. 갑자기 초조해지면서 온몸에 가시가 돋듯 간지러웠다. 감자가 구워지는 동안, 식탁 위에 널브러진 비누 공방 전단들이 보였다. 족히 10개도 넘는 전단들이 형형색색으로 내 눈을 어지럽혔다.

다현과는 어릴 때부터 동네에서 "야", "너" 하던 사이였다. 난 그 마을에서 나고 자란 아이였고, 다현은 내가 7살일 무렵 우리 옆집으로 오게 되었다. 뉴스에도 나왔던 어느 여름 시골 동네에서 크게 난 화재로 다현은 부모를 모두 잃었다. 이로 인해, 우리 옆집에 살고 있던 다현의 이모 집으로 갑작스럽게 와서 얹혀살게 된 것이었다. 결혼하지 않고 혼자 살고 있던 다현의 이모는, 어린 그녀를 딱히 여겨 동생 장례식장에서 다현을 본인이 데려가겠다고 선언했다고 오래전에 들었다. 그런 큰일을 겪고 다현은 한동안 매우 어두웠다. 내 기억으로 다현은 항상 도화지처럼 희멀건 얼굴에 표정 하나 없는 아이였다.

그런 다현과 가까워지게 된 건, 둘 다 성인이 되어 외지에서 우연히 만났을 때였다. 그때 나는 집을 나와 도예 공부를 막 시작하고 있었고, 다현은 이모가 아는 작은 사무실에서 허드렛일을 도우며 일찍이 생계에 뛰어든 상황이었다. 그사이 어머니가 돌아가셨고, 낯선 곳에서 비슷한 처지의 다현과 어린 시절의 기억을 다리 삼아 서로 급속도로 가까워졌다. 틈이 날 때마다 다현을 보러 갔고, 그럴 때면 다현의 겨울 눈처럼 창백한 얼굴에 동백 꽃잎같이 붉은 물이 잔잔하게 퍼졌다. 그 시절 나는 추운 겨울에도 얇은 외투로 버텼는데, 다현은 항상 일이 끝나기 전 난로 옆에서 한참 손을 데웠다가, 헐레벌떡 뛰어오던 내 찬 두 손을 꼭 감싸주었다. 내가 주머니에서 새 장갑을 쓱 건네주면, "바보같이. 본인 외투나 사라니까."라며 토라졌다. 누군가를 보기만 해도 배부르다는 말이 무엇인지 그때는 알 것 같았다.

그렇게 만난 지 몇 년 후, 우리는 조촐하게 결혼 생활을 시작했다. 나는 도예의 길을 포기하고, 작은 돈을 빌려 장사를 시작했다. 다현 역시 그런 날 따라, 물건들 사이로 사람이 서 있기도 버거운 작은 곳에서 가게를 함께 꾸려 나갔다. 젊은 날의 억척스러움과 밝음으로, 다행히도 가게에는 사람들이 항상 붐볐다. 벌이는 얼마 안 되었지만, 이 정도면 됐다는 만족감으로 하루하루를 그려 나갔다. 주전부리를 먹을 때도 서로의 입에 먼저 쏙 넣어주는 우리 둘을 보며, 시장 사람들은 어린 부부의 애정이 별나다고 놀리면서도 예뻐했던 것이 기억난다.

이런 행복에 틈이 생긴 건, 다현이 연이를 낳은 지 몇 년 안 될 때였다. 모든 원인은 '나'였는데, 도예를 다시 시작하고 싶다고 별안간 선언했기 때문이다. '하고 싶다'고 이야기했지만, 다현에게는 '하겠다'로 들렸으리라. 그리고 나의 본심도 별반 다르지 않았으리라. 갑자기 그런 선언을 하게 된 것은, 어릴 적부터 알고 지내던 도예가 한진 선생님이 도예를 다시 해보겠냐고 갑자기 말을 꺼내셨기 때문이었다. 한진 선생님은 아버지의 친우로서 어릴 적 본가에 자주 놀러 온 분인데, 우리 가게와 가까운 곳에서 살고 계셨다. 종종 가게를 들려 물건만 몇 개 사시다가, 며칠 전 문득 그런 제안을 하신 것이다. 그 이야기를 처음 들었을 때, 머리를 한 방 맞은 듯 정신을 차리지 못했다.

"네?" 선생님에게 되물었다.

"자네 성실하기도 하고, 내 오랜 시절 봐오면서 자네 재능은 잘 아니까."

한진 선생님의 말 몇 마디가 내 마음을 울렁였다. 내가, 다시 흙을 잡아도 될까? 미친 생각이라며, 애써 머리를 쥐어박고 뜬눈으로 밤을 새우기를 며칠, 결국 다현에게 이야기를 꺼내 버렸다.

"뭐? 하필 지금?"

다현은 한창 아이를 키워야 하는 지금 왜 그걸 꼭 해야만 하는지, 당혹감과 원망스러움이 엉긴 표정을 그대로 꺼내 보였다. 내가 그 후 뭐라 변명했는지, 어떤 말로 설득했는지 기억이 잘 나진 않는다. 다현은 입을 꾹 다물고는 방으로 들어갔다. 그리고 며칠은 서로 이야기도 하지 않았던 것 같다. 그러다 어느 날 가게를 마무리하고 집에 돌아오니, 먼저 들어가 있던 다현이 식탁에 앉아있었다.

"그래, 한 번 해봐, 그거."

식탁에 앉아있던 다현의 손에는 연애할 때 내가 직접 만들어줬던 찻잔이 꼭 쥐어 있었다. 훗날 다현은 '도예'가 나에게 어떤 의미인지 오래도록 봐왔기에, 차마 거절할 수 없었다고 이야기해 줬다. 결국 나는 도예를 시작했고, 안 그래도 넉넉지 않던 가세는 점점 기울어졌다. 다현은 아이를 업고 가게에 나갔고, 나는 어렵게 얻은 기회에 빨리 성과를 내야 한다는 부담감을 가지고 가게 일과 도예 공부를 밤낮없이 병행했다. 그 당시 우리 둘은 하루 종일 웃음기 없이 그림자처럼 보낸 날들이 많아졌다. 다현의 희멀건 얼굴에 다시 표정이 지워진 것은 그쯤이었다.

우리의 삶에 감자가 등장한 것도 이때였다. 우리는 주로 저렴한 감자로 배를 채우면서 하루를 버텨 나갔다. 아무리 싸다지만, 하고많은 것 중의 감자인 이유는 내가 제일 좋아하는 것이기 때문일지도 모른다. 진우의 감자 사랑은 어쩌면 나와 이어져 있을지도.

"감자는?"

집으로 돌아오면, 나는 항상 감자부터 찾았다. 처음에는 그다지 좋아하지 않던 다현도, 먹다 보니 익숙해진 눈치였다.

그러던 중 몇 년의 세월이 흘러, 운 좋게도 도자기 사업이 해외로 잘 풀렸고, 우리는 풍족하진 않더라도 걱정 없이 먹고 살 수 있게 되었다. 이제는 잘 꾸려 나가기만 하면 된다고 생각하던 어느 날, 다현이 처음으로 비누 공방의 전단을 가져왔다.

"에이, 갑자기 무슨 비누야. 평생 장사하던 사람이 그거 잘 만들 수나 있겠어?"

무심히 던졌던 말은 다현에게 큰 상처로 다가왔으리라. 나는 다현이 엉뚱한 짓을 한다고 생각하며, 대화를 성의 없이 끊었다. 그리고 몇 달 뒤인 오늘 아침에도, 다현은 식탁 한구석에서 비누 공방 전단들을 매만지고 있었다.

"나 재능이 있대."

"응?"

"얼마 전에, 비누 체험 수업… 돈 많이 안 드는 거, 한 번 들었거든. 선생님이 그냥 하는 말이 아니라, 나 소질이 있다고 했어. 다른 학생들도 칭찬했고."

'다 뻔한 영업이지.' 나도 모르게 내뱉으려다가 말을 삼켰다. 근래 들어 우리는 이미 그것에 대해 몇 번의 큰 말다툼을 했기 때문이었다. 물컵을 매만지며, "그랬어?"하고 가볍게 응수했다. 그래, 자연스럽게 이야기를 흘려보내는 거야.

"나 진심으로 배우고 싶어."

"으음."

흘려보내려던 나의 전략이 칼을 맞았다.

"음, 근데… 아이들이 좀 더 큰 다음은 어떨까? 지금은 우리 상황이… 사업도 한창 크고 있고, 일도 점점 많아져서 사실 좀 벅차고… 아이들도 아직 한참 어린데."

방황하던 내 혀는 꿀꺽 침을 삼키며, 아주 천천히 단어들을 소리 냈다. 이런, 이러면 저번 싸움과 같은 패턴인데. 다현의 성난 표정을 보니 적중한 듯하다.

"나는 언제까지 기다려야 하는데!"

"아니, 애들 자는데 왜 큰 소리를 내. 그냥… 조금만 더 시간을 갖자는 거지."

갑자기 다현의 눈에 닭똥 같은 눈물들이 방울방울 맺혔다. 다현의 눈물을 보자, 갑자기 화가 차오르기 시작했다. 말을 잇지 말았어야 했는데, 반복되는 싸움에 짜증이 나버린 내 마음이 다현을 쏘아붙였다.

"매번 울 일이야? 왜 날 나쁜 사람으로 만들어. 내가 다 나 좋자고 이래? 지금 이 시기 놓치면, 나중에는 더 자리 잡기 힘들어서, 지금은 가족에 좀 더 집중해 보자고 한 거잖아. 조금만 더 마무리하고, 곧, 하면 되잖아! 나 요즘 잠도 못 자고 일하는 거 알잖아. 왜 그렇게 사람이 감정적이야? 왜 자꾸 날…"

눈을 질끈 감고 뒤돌아서서 속사포처럼 말을 내뱉던 나는 멈췄다. 어느새 외투를 걸친 다현이 날 한참 노려보더니 현관문을 열고 휙 나가버렸기 때문이다. 그리고 지금까지 아무런 연락도 되지 않았다.

의자에 앉아 한참 충격을 삼키던 나는, 아이들이 잘 자고 있는지 빼꼼 확인 후에 멍청하게도 감자나 굽고 있는 것이었다. 연이의 눈꺼풀이 부자연스럽게 파르르 떨렸지만, 아이들은 곤히 잠든 것처럼 보였다. 사실 내가 염치가 없다는 것을 잘 안다. 다현이 과거의 "하필 지금" 시기에 어떻게 버텨왔는지 누구보다 잘 알고 있다. 그러나 막상 내가 그 자리에 오니, 현실의 숫자들이 나를 매섭게 뒤덮었다. 사업에서 불안정하게 있다 없어지는 돈이며, 아이들이 커갈수록 불어나는 비용 대비 매번 아쉬운 소리만 하게 되는 생활비며… 배곯으며 달려온 시간이 길어질수록, 그 시간을 멈춘다는 것은, 아니 후퇴시킨다는 것은 더 어렵게만 느껴졌다. 그때의 다현과는 상황이 다르다고, 오히려 그런 다현의 꿈을 위해선 지금 더 안정을 위해 달려야 한다고 애써 자위

했다.

하지만 이 모든 건 나의 착각이었음을 텅 빈 다현의 자리를 보며 깨달았다. 연애 시절에는 보기만 해도 배부른 사람이었는데, 지금의 나는 자꾸 배고픈 사람이 되어 다현을 괴롭히고 있었다. 묵직한 허망함을 느끼며, 얼굴을 두 손으로 감쌌다. '이대로 다현이 영영 집에 돌아오지 않으면 어쩌지?' 내 머릿속에는 온갖 최악의 상황들이 아른거렸다. 아이들 방문이 조심스럽게 열리더니, 연이가 눈을 비비며 빼꼼 얼굴을 내밀었다.

"엄마는?"

"음, 그게…"

내가 잠긴 목소리로 연이에게 다가가는 그 순간, 현관문이 벌컥 열렸다. 다현이 머리 위의 눈을 툴툴 털며 들어왔다. 양손에는 무언가 가득 든 새까만 봉지들을 들고 있었다.

"감자 다 떨어졌더라고."

다현이 부엌에 봉지들을 내려놓고 정리를 시작했다. 나의 두 눈이 막 달궈진 쇠처럼 뜨거워졌다. 애써 차오르는 무언가를 삼키며, 내가 슬쩍 창문 밖을 바라보면서 말을 건넸다.

"무겁게 왜 사 왔어. 외식이나 하러 가자."

"아유, 돈 아까워. 무슨 외식이야."

"이제 감자도 좀 질리는 것 같기도 하고…"

평소 감자만 보면 입이 귀에 걸리던 이가 무슨 바람이 난 건지, 다현의 눈이 동그래졌다. 그러나 이내 새침하게 말했다.

"나 피곤해. 정 그러면 맛있는 것 좀 사 오던가."

"그래! 연이야, 엄마 쉴 동안 아빠랑 갔다 오자."

연이에게 외투를 입히고는, 정말로 현관문을 나섰다. 다현은 많이 당황한 얼굴이었다. 그러나 곧 슬며시 입가에 미소가 번진 다현의 얼굴이 문 사이로 스쳐 지나갔다. 나 또한 자꾸만 입가에 헤실헤실 웃음이 새어 나오는 것을 감출 수 없었다. 연이가 그런 내 얼굴을 조용히 바라보다가, 한 마디 건넸다.

"하여간 아빠도 애라니까."

감자 먹기

종걸은 투박한 손으로 잘 구워진 감자 하나를 집었다. 그리곤 호호 불어, 진우의 입에 가져다주었다. '우리 영석이도 이만했었지.' 종걸의 눈에 어린 영석의 얼굴이 아른거렸다. 하지만 종걸을 바라보던 앳된 영석은 항상 겁에 질린 얼굴이었다. 감자로 볼이 빵빵해진 진우가 고개를 들어 할아버지를 보고는, 방긋 웃었다. 진우를 보며, 종걸은 그 옛날이 떠올랐다.

갈피 3. Speaker/ 종걸(-)

[종걸의 장례식 후, 방 서랍장에서 발견된 낡은 편지 몇 장]

아들 영석에게,

이 편지를 남기는 것은 언제 가도 이상하지 않은 나이가 되면서, 참 두렵기 때문이란다. 너는 필히 호랑이 같은 아버지가 무엇이 두려울 게 있는지 궁금하겠지. 얼굴 보고는 차마 말이 떨어지지 않아, 글로나마 그 이야기를 해주려고 한다. 어쩌면 이 글을 쓰고 난 뒤, 내가 용기를 가지고 너의 머리를 쓰다듬으며 말했을 수도, 혹은 결국 말하지 못했을 수도 있겠지. 지금은 아무것도 알 수 없구나. 다만 이렇게 짤막하게나마, 글을 남겨보려고 한다.

처음 네가 흙에 관심을 가졌던 그날이 떠오른다. 7살이 이제 막 넘은 네가, 볼도 통통하니 차올랐던 그렇게 어리던 네가, 가마를 살피던 내 곁에서 한 시도 떠나지 않았지. 가마의 뜨거운 열기가 무섭지도 않았던지, 붉게 달아오른 얼굴을 하고는 하루 종일 내 주위를 맴돌았단다. 한두 번은 그저 어린아이의 호기심이려니 하고 두었는데, 그 버릇이 중학교 다니면서도 계속되자 내가 호되게 혼냈었지. 그때 당황하며 펑펑 울던 너의 얼굴이 선하구나. 안 그래도 엄했던 아버지가 그렇게 야단을 치니, 무척이나 야속하고 무서웠을 것이야. 가끔 진우의 중학교 졸업 사진을 볼 때면, 그렇게 작고 어릴 수가 없더구나. 그 한참 어리고 어릴 나이의 너에게, 내가 뭘 그리 엄했나 후회가 된다. 너희 엄마는 형, 누나보다 널 제일 예뻐했지만, 나는 매번 흙에 관심을 두던 네가, 그리고 흙을 잡는 손길이 예사롭지 않던 네가 마치 내 어린 시절 같아 자꾸 불안하기만 했단다. 그 힘든 길 가지 말고 그저 공부만 하길, 매일 밤 잠든 너의 얼굴을 들여다보며 숨죽여 되뇌었지. 내가 널 학업 때문에, 옷매무새, 말 한마디와 같은 사소한 것 때문에 야단쳤던 모든 날에 너는 항상 늦은 새벽까지 울먹이다 잠에 들었지. 그게 하루 걸러 한 번씩은 일어나던 날들의 연속이었어. 작은 흐느낌이 멈추고 새벽의 찬 공기 사이로 너의 곤한 숨소리가 집 안을 가득 메울 때면, 우유와 감자 2알을 항상 네 머리맡에 조용히 두고 갔었지. 너는 "감자 맛있네. 고마워, 엄마."하곤 했지. 당황한 너희 엄마에게 조용히 눈치만 줬단다.

그 후로도 내가 널 위해 했던 모든 행동과 말들은 우리 사이에 두꺼운 벽을 만들었을 뿐이었다. 우리는 더욱 멀어져갔고, 그게 이해되면서도 이해하기 어려웠단다. 그저 이게 널 위한 방향이라고 굳게 믿고, 마치 십자가를 짊어진 예수님이 된 것처럼 더 견고한 성벽을 쌓을 뿐이었다. 그러나 나는 사실 몰랐단다. 내가 계속 흙을 만지는 것처럼, 도예를 향한 너의 마음은 말린다고, 꺾어버린다고 될 문제가 아니었다는 것을. 마지막으로 싸웠던 어느 날, 너는 집을 떠났지. 그때가 아직도 마음에 아린다. 그날 이후 우리가 이렇게 한 지붕 아래서 다시 같이 살 일이 있을 거라고는, 감히 욕심도 내지 못했단다.

간간이 건너 듣던 너의 소식, 도예를 배우기 시작했다는 것, 그리고 요즘 그 동네 꼬마였던 다현과 자주 만난다는 것, 겨울에도 구멍 난 양말을 신고 다닌다는 것 등이 그나마 위안이 되던 나날들이었지. 다현을 만난 뒤부터는 그래도 얼굴이 밝더구나. 그때는 종종 명절에도 가족들을 보러 오고, 나에게도 건조하나마 몇 마디를 건네기도 했지. 널 가르치던 최 영감은 네가 재능이 있다며 은근슬쩍 나에게 이야기했지. "아직 새파랗게 어린 손으로 무얼 알겠냐."며 퉁명스럽게 말했지만, 그 영감은 내 얼굴에 슬쩍 피어오른 미소를 가지고 놀리곤 했단다. 너는 그럴 거면 뭐 하러 어린 시절 그렇게 흠을 냈었냐고 묻고 싶겠지? 사실 그 시간의 내 행동들을 되돌리고 싶은지도, 혹은 그날의 선택을 믿는지도, 아직은 잘 모르겠단다, 얘야. 이제는 한 가정을 만들고 그걸 지켜가는 너도 어쩌면 알겠지만, 그건 쉽지 않은 문제야. 힘없던 나의 젊은 시절이, 그래서 내 가족 하나 건사할 수 없던 무수히 많은 순간들이 그저 너에겐 없길 바랐다. 고작 그 푼돈 몇 푼도 없어서, 내 무릎이 닳도록 남들 앞에서 바짝 엎드렸던 시간의 연속이었지. 그 설움을 네가 영영 모르길 바랐다. 그래서 다시 너와 갈등했던 그 시간으로 되돌아간다고 해도, 여전히 고민할 것 같구나. 그렇지만 네가 소리 죽여 울던 그 밤들은 다시 반복하고 싶진 않다.

그 후에 그 어린 다현과 결혼한다고 찾아왔던 너는 결국 도예를 포기했지. 네가 한창 진우와 연이를 키울 무렵, 나는 오랜 벗인 한진의 집에 자주 찾아가 함께 차를 마시곤 했단다. 바둑을 두고 차를 마시며 이것저것 말을 하다 보면, 으레 자식 이야기로 귀결되기 마련이지. "이게 영석이 어릴 적 만든 것이라고? 역시 박씨 집안 아이긴 아이야." 내가 가져간 찻잔들을 보곤 항상 감탄하곤 했지. 한진이 너의 가게에 들렀던 어느 날, "정말 저대로 영석이 장사하게끔 둘 건가?"라고 슬쩍 말을 던지며 내 눈치를 살피더구나. 예전부터 널 탐내던 녀석이었지. "자네만 괜찮다면, 내가 가르쳐 보려고 하는데." 내가 묵묵히 듣고만 있자, 답답한 듯 한 마디 던지더구나. "자네도 계속 찻잔을 들고 온 이유가 있을 것 아닌가."

너는 다시 도예를 시작했고, 다행히도 시간이 지나면서 일이 잘 풀려갔지. 그쯤 여전히 조그마한 다현이는 계속 홀로 있는 내가 신경 쓰였던지 매번 같이 살자고 이야기했었지. 결국 너까지 와서 날 설득했을 때, 난 못 이기는 척 그 말을 받아들였단다. 너희와 같이 살게 된 건 정말 꿈만 같더구나.

우리 사이는 그 후에도 반전은 없었지. 여전히 서로가 어려웠고, 멀었고, 매번 엇갈렸지. 그래, 이 편지는 지나간 날들에 대해 속죄하는 나의 늦은 고백이란다, 영석아. 바보처럼 말로도 못 하고, 편지로 간신히 한 자 한자 적어서 나를 그렇게 미워하진 말아 달라는 염치없는 아비의 고백이란다. 내 막내아들, 영석아! 예전에도 그리고 지금도 너에게 참 미안하고 고맙다. 생각해 보면, 네가 태어난 순간부터 너에게 받기만 한 것 같다. 그저 너의 존재 하나만으로도 내 삶을 가득 채웠단다.

널 많이 사랑한다. 긴말 줄이마. 이따 일 끝나면 집에서 보자.

종걸.

모두가 모여

마지막 감자까지 해치우고, 다들 한껏 불룩해진 배를 부여잡았다. 연이와 진우는 거실 가운데 드러누워, 서로 무언가를 속삭이며 낄낄거렸다.

"아버지, 목 막히실 텐데, 우유 한 잔 더 드릴까요?"

영석이 종걸에게 우유가 든 컵을 건넸다. 이미 배부른 종걸이지만, 조용히 한 잔을 꿀떡 마셨다. 다현은 종걸 옆에 찰싹 붙어 앉아, "아버님, 이것 좀 들어보세요. 요게 요즘 유행하는 노래예요."라며 재잘거렸다. "응, 그래, 아가." 종걸이 응수했다. 영석은 그런 둘을 바라보다가, 부엌으로 들어가서 설거지를 시작했다. 이제 막 붉어진 나뭇잎 하나가, 열린 창문을 넘어 거실 안으로 쏙 들어왔다. 꺄르르 웃는 연이의 소리가 나뭇잎 위로 살포시 쌓였다.

우리의 삶은 이렇듯 시간을 넘나들며 인생 이야기를 이어간다. 감자를 먹던 어린 연이에서, 그 먼 옛날까지, 그리고 까마득한 미래까지, 어지럽게 흩어져 있는 갈피들을 잡아보았다. 마지막으로 당신과 몇 가지 질문들을 나누고 싶다.

오늘 당신의 하루는 어떠했는가?
그 시간 속 언제 갈피를 꽂고 있는가?
당신의 흙과 감자는 무엇인가?

인생탐구

김소현

김소현 큰 키와 시원한 걸음걸이를 지닌 작가는 여행을 좋아한다. 곳곳을 여행하며 자연을 있는 그대로 느끼고, 사람과 사물을 깊숙히 바라봄에 따라 작가만의 고유한 언어로 수려하게 표현한다. 이야기가 무거운 듯 아닌 듯, 아리송해도 긍정적인 삶을 추구하는 작가의 가치관이 글 속에서 궁극적인 메세지를 전한다.

email: jin0465@naver.com

〈프롤로그〉

최근, 피아노 방을 정리하면서 한쪽에 쌓아 둔 상자들을 하나씩 열어보게 되었다. 이제는 버릴 건 버리라는 어머니의 성화에 못 이겨, 큰 상자부터 작은 상자까지 하나씩 테이프를 뜯어보게 되었는데, 그 시간부터 장차 반나절 동안 나의 10대, 20대를 되돌아보게 되었다.

평소, 아끼는 물건, 소중히 생각하는 추억의 증표를 잘 버리지 못하고 간직하려는 경향이 있다. 사실, 우리 부모님도 나와 비슷해서 정리보다는 상자에 담아 라벨링하며 더 소중히 여기곤 하셨다. 나름 내 인생의 발자취, 흔적, 손때가 묻어 있다는 이유로 피아노 방에는 다섯 살 때 부모님이 선물해 주신 소리 나는 인형 '똘똘이'와 초등학생 때 쓴 몇십 권의 일기장, 친구들과 주고받은 편지글과 비밀 노트가 있다. 이 외에도 성장기를 한눈에 알 수 있는 크기별 바이올린들, 옥타브 레 건반은 더 이상 조율이 어려워 쉰 소리를 내는 25년이 넘은 오래된 피아노까지 등등 방에는 추억들이 잘 녹아있다.

그 중에서도 손수 작성하고 주고받았던 편지들을 참 오랜만에 읽게 되었는데,

왜 나랑 이야기 안 하고 미눼(민혜)랑 놀아? 친구의 질투가 담긴 글
긍정저인 소현이, 건강하게 꿈을 펼치길 응원한다는 은사님 애정이 담긴 글
엄마 아빠는 항상 우리 딸 곁에 든든히 있을게! 평생 나의 편, 부모님 편지글
널 아주 좋아해, 이젠 마음을 혼자 감당하기엔 벅차서 너한테 알려주려고, 내 연인의 러브레터
나답게 살아가자! 셀프다짐 편지글

유치해서 웃기기도 하고, 손발이 오그라들면서도 마음이 따뜻해지고, 고마움과 감사함이 가슴 깊은 곳에서부터 꽉 차오르는 복합적인 감정들이 떠오르는 시간을 보냈다.

'인생탐구'는 잊고 있었던 유년기 이야기를 통해 순수했던 그 시절, '맞아, 나도 저런 시절이 있었지.' 흐뭇하게 추억을 되돌아보고, 앞으로 살아가는데 나만의 원동력과 의미를 찾을 수 있는 시간이 되길 희망하는 바이다.

나만의 정답지는?

대학생이 되면서 나는 19년간 내 인생의 삶의 터전이었던 곳을 떠나 타지 생활을 시작하게 되었다. 새로운 환경에 적응력도 빠르고 호기심도 큰 편이어서 사실 부모님의 걱정과 달리, 나는 한껏 들떠 있었다. 하지만, 생각보다 다양한 스토리를 지니고 있는 사람들과 함께 친해지고 알아간다는 게 내 생각처럼 원활하지 못했다.

돌이켜보면, 나는 유치원부터 고등학생 때까지 장차 13년간 같은 학교법인 울타리 안에서 교육받았고, 친구들도 십년지기라 할 정도로 친구들 바운더리도 견고했다. 유치원생부터 쭈욱 보고 자란 친구들이 대다수여서 건너 건너면 알 수 있었고, 그만큼 부모님과도 안면이 있는 경우가 많았다. 교우 관계도 원만했고, 성격도 요즘 MBTI로 표현하자면 ENFJ여서 사람들과 부딪히는 걸 불편해하며 지양했었다. 언짢은 분위기가 조성될 때면 차라리 내가 함으로서 그 분위기를 상쇄시키려고 하는 편이다. 이런 성향 때문이어서일까, 어릴 적 친구들로부터 각각 다른 무리의 친구들과 놀 때면 의도치 않게 종종 질투받곤 했던 기억이 있다. 초등학생 때 주고받았던 쪽지들, 편지들, 단짝 친구와의 비밀일기를 보면,

"미진이랑은 무슨 이야기 했어?"
"왜 나랑은 안 놀아?"

"오늘 꼭 나랑 수영장 가는 거다!"

나와 함께 무언가를 하고 싶어 하고, 다른 친구들과 놀 때 연락 달라는 둥 편지글이 많았다. 이런 상황이 반복될수록 난처했던 경우가 있었는데, 내가 택한 방법은 오롯이 솔직하게 상대가 기분 나쁘지 않은 선에서 핵심이 되는 최소한의 이야기를 잘 전히고지 노력하는 깃이었다. 그리고 게임, 술래잡기 등 인원이 많을수록 재미있겠다고 너스레 떨며 자연스럽게 친구들이 함께할 수 있도록 유인하곤 했었다. 이 방법은 유년기엔 나름 잘 통했고, 나 역시도 친구들 사이에서 배려가 있고 다정한 친구로 인식되면서 상황적으로 오해가 발생하는 일은 드물었다.

하지만, 대학 생활에서는 달랐다. 선의로 전하거나 악의 없이 호의를 베푸는 나의 행동에 대해 상대가 누구냐에 따라 돌아오는 피드백 차이가 컸다. 사람이 선하다, 오지랖이 넓다, 나선다 등 때론 불편한 이야기가 전해오자 순수한 마음으로 한 내 뜻이 왜곡되는 점에 스스로 상처받기도, 서운하기도 했었다. 처음에는 왜 그렇게 생각할까? 내 표현 방식이 잘못된 걸까? 나를 잘 아는 친구들, 부모님과도 지금 이 익숙지 않은 상황에 대해 이야기도 했었다. 스스로 생각을 거듭할수록 도돌이표가 반복되자 심리서적을 왕창 빌려서 한 권씩 천천히 읽어가기 시작했다. 인간관계론, 처세술, 스무 살 철학 등 처음에는 심리 자체가 어렵고 심오하게만 느껴졌다. '어떻게 이렇게 생각하지?', '이렇게까지 관찰, 분석해야 하나?' 머리를 긁적이며 다음 페이지를 넘기는 속도가 도통 나질 않았다. 책 속 다양한 사례를 통해 객관적으로 바라보는 시선을 따라갈수록 '차라리 내가 하지 뭐'에서 '상대가 필요로 하는 걸까?'로 관점이 전환되었고, 읽는 속도도 점점 붙기 시작했다. 그리고 그 기저에는 상황적 이해를 넘어 사람 그 자체를 더 이해하려는 노력을 기울이게 되었다. 나의 유년기와 10대에 만난 친구들은 장기간 서로에게 익숙해지는 물리적 시간과 추억으로 두터운 관계를 쌓아왔다. 반면, 성인이 되어 만난 친구들은 서로 상이한 환경에서 자라온 자란 만큼 먼저 귀 기울여 듣는 것에 능했어야 했는데, '내가 사람을 대하는데, 다소 성숙하지 못했구나' 하는 깨달음을 얻게 되었다.

이후, 몇 년이 지난 지금도 여전히 누군가를 만나고 알아가는데 설렘과 기대감이 들면서도 그 이면에는 관계 형성에 대한 잔잔한 어려움이 있다. 더군다나, 이제는 사회생활을 통해 또 다른 영역에서 관계도 고민해야 하고, 더욱더 복합적인 이해관계 속에서 지혜롭게 대처해야 하는 제 나름의 노하우도 갖춰가야 할 시기에도 이르렀다. 퇴근 후, 지인 혹은 회사 동료들과 함께 술잔을 기울이다 보면, 유사한 상황 속에서 누구는 하소연하기 바쁘고, 또 누군가는 이미 벌어진 일 어떻겠느냐 받아들이며 화제를 돌리려 하고, 또 누군가는 대화에 크게 동요 없이 술잔을 기울이는 행동으로 그 분위기를 맞춰주는 등 각양각색의 모습들을 볼 수 있다. 모두 다른 반응들이 나름 재미있기도 하다. 과연 나는 어떤 유형일지, 결과적으로 이 상황에 가장 최선에 가까운 정답은 무엇이었을지 문득 궁금해지곤 한다. 다만, 자신 있게 말할 수 있는 나만의 정답지 중 가장 큰 대전제는 사람 사이엔 적당한 빈 공간의 심리적 평행선이 필요하다는 점이다. 그 평행선 사이에는 누적된 믿음과 친목들이 차곡차곡 채워져서 견고한 관계를 형성하고, '적당한 관심과 무관심 그리고 가장 기본적인 배려'야 말로, 앞으로 살아가는데 가장 건강한 인간관계를 쌓아갈 수 있을 기란 나민의 징답지를 30넌여년에 걸쳐 찾았다.

행운 = 감사 + 긍정

"아빠는 가장 기억에 남고, 찾아 뵙고 싶은 선생님은 누구셔?"
"있지, 딱 한 분 중학교 선생님."

아버지는 똘똘하니 공부를 꽤 잘하셨다. 형편이 넉넉하지 않아서 학업에 욕심을 부릴 수 없었지만, 가장 가까이에서 아빠 마음을 잘 헤아리신 띠동갑 터울의 큰아버지는 아빠가 학업을 이어가도록 기회를 만들어 주고 싶어 하셨다. 때마침 큰아버지 친구이자 아빠의 중학교 은사님은 원하는 학업과 숙식을 지원하는 고등학교를 찾아서 추천해 주셨고, 아빠는 어린 나이에 타지 생활을 감내하면서 그 길을 힘차게 걸어 나섰다. 그리고 이 선택은 아빠의 청년, 중년기를 지나 지금까지 든든한 주춧돌이 되었다. 항상 말씀하시길 은사님을 만난 건, 행운이었다고 하셨다.

나에게도 잊지 못할 선생님이 계신다. 초등학교 2학년 담임 선생님이시다. 선생님은 와이자형 멜빵 허리띠를 메고 넓은 어깨와 살짝 나온 배, 풍채가 있는 점잖은 중년 남성으로 문학을 사랑하시는 분이셨다. 매일 제출하는 일기장 검사에는 긍정적인 소현이란 코멘트를 종종 달아주셨고, 생일 카드에는 꿈을 무한히 응원해 주셨다. 또, 오래된 기억이지만 선명하게 떠오르는 건 수업에 집중하지 못하는 친구가 있으면 시를 읊어보라고 하거나 무엇이든 자유롭게 말과 글로 표현하도록 도와주셨다. 한 번은 애지중지 키우던 병아리가 감쪽같이 사라진 적이 있었는데, 이 상황을 시로 지은 적 있었다.

 잃어버린 병아리는 나에겐 큰 의미가 있었다. 내 생애 털이 있고 움직이는 생물체를 처음 키워보기 때문이다. 아토피를 앓는 동생을 위해 집 안에선 털 있는 생물체는 키울 수 없었고, 오롯이 어항 속 금붕어만 키웠다. 집 안에서는 절대 안 된다는 엄마의 단호함에도 이것만큼은 꼭 지키겠다고 약속하며 설득했고, 그 결과 병아리 2마리를 사서 '삐돌이', '삐순이'라는 이름을 지어 주었다. 그 약속은 베란다에서만 키우고 방 안으로 절대 들이지 않을 것, 동생에게 피부 트러블 반응이 나타난다면 키우는 걸 즉시 중단하고 다른 사람이 키우도록 주기로 한 것이었다. 베란다에 20kg 배상자로 병아리 집을 만들어 주었고, 물과 모이를 챙겨주며 매일 성장과정을 지켜보았다. 닭 볏이 조금씩 생기고 털갈이할 초기 중닭이 되자, 조금은 더 큰 대형 박스를 활용하여 '삐돌이', '삐순이'에게 각자 방을 만들어 주기도 했다. 평소, 삐약이들 하루 일과 중 노을이 질 무렵이 되면, 집 앞 너른 풀밭에서 뛰어놀도록 엄마가 잠시 풀어주기도 했었다. 하루는 풀밭으로 나가는 대신 대문 앞에 두고 삐약이들이 바깥 바람을 쐴 수 있도록 했는데, 30분이 지나서 박스를 옮기려 가보니 두 마리가 모두 감쪽같이 사라지고 텅 빈 박스만 있었다. 병아리가 몸집이 점점 커질수록 종종 박스를 뛰어넘어 탈출을 시도했던 경험이 있어서 이번에도 대수롭지 않게 찾을 수 있을 거라 생각했다. 하지만 결국, 해가 지도록 찾지 못하고 헛걸음으로 돌아왔다. 나와 동생은 여전히 속상한 마음에 손수 병아리 그림을 그린 '삐돌이와 삐순이를 찾습니다.' 전단지를 만들었고, 부모님이 우리 마음을 어르고 달래주고자 밤 10시가 넘은 시간에 각 동별 게시판에 전단지를 붙이고 오셨다.

다음 날, 학교에 가자마자 선생님은 퉁퉁 부은 내 얼굴을 보며 어제 무슨 일 있었냐고 물으셨고, 나는 선생님 품에 안겨 펑펑 울었다. 감정이 진정되자 선생님께서는 지금 이 속상한 감정보다는 삐약이와 함께 보내면서 행복했던 기억을 떠올려 보라고 하셨다. 불과 어제만 하더라도 우리 곁에 없는 슬픔, 걱정스러운 감정에 갇혀 있었는데, 함께했을 때에 즐거웠던 상황을 그려보니 마치 내 곁에 있는 듯한 느낌이 들었다. 모이 쫄 때, 날갯짓을 할 때 파닥거리는 모습 등에서 삐약이만의 독특했던 행동 특징이 생각나면서 신나서 중얼거리는 내 표정을 느낄 수 있었다. 곁에 없는 삐약이에게 슬퍼하기보단, 행복했던 기억을 더욱 강화하며 슬픈 감정을 희석하고자 한 선생님의 교육 방식이 내겐 효과가 있었다. 그리고 이 시는 선생님의 도움으로 몇 차례 전시회에 걸어두곤 했었다.

시간이 흘러 되돌아보면 선생님과 함께 한 1년은 내게 행운이었다. 동심을 지켜주시고 더 발현되도록 이끌어 주신 선생님의 사랑은 직관적인 감정을 넘어서 본인의 생각을 다양하게 표현할 수 있는 방법이 있다는 걸, 직접 깨우치도록 해주셨다. 아마, 선생님을 만나지 않았다면 내게 글쓰기는 다소 거창하고 딱딱한 어려운 분야로 여겨졌을 것이다. 생동감이 느껴지는 글과는 거리가 있지 않았을까 생각해 본다.

선생님과의 추억은 이 외에도 많다. 기억이 흐릿한 부분도 있지만 유달리 수업을 잘 하지 않으셨던 건 기억에 남는다. 역시 보통은 아니신거다. 주어진 수업 시간에는 필요한 핵심 내용만 교육하고 교실 밖 수업을 많이 했었는데, 운동장에서 뛰어놀거나 나무 그늘에서 글을 쓰거나 노래를 부르곤 했었다. 또 학교 근처에는 아트홀이란 공연장이 있었다. 공연장 가는 길은 마치 숲속을 걸어가는 듯 평온하게 조성되어 있어서 그 길을 종종 갔었던 기억이 난다. 그 길에는 다람쥐가 나무 사이를 뛰어다녔고 꽃들도 색상별로 다양하게 심어져 있어서 그 속에 있는 네잎클로버를 누가 빨리 찾나하고 친구들과 내기도 했었다. 그리고 나폴레옹이 네잎클로버를 주우려다 적군의 탄알을 피하게 되면서 행운을 상징하는 꽃이 되었다는 이야기도 선생님을 통해 처음 알게 되었다. 그래서 네잎클로버를 볼 때면, 난 선생님이 자연스럽게 생각이 난다.

사람마다 행운이라고 여기는 기억들이 있기 마련이다. 아빠도, 나도 선생님의 존재와 기억이 그러했다. 다만, 그 기억을 스스로 끄집어 내거나 떠올리게 하는 계기가 없으면 오랫동안 아니 영영 내 기억 속에 묻혀있게 된다. 좋은 기억이 일회성으로 스쳐 지나가지 않도록 상징성을 지닌 물건이 함께 연상된다면 어떨까? 네잎클로버가 내겐 그렇다. 기분이 다운되어 있다가도 그 꽃을 볼 때면 선생님과 좋은 기억에 마치 행운이 곧 올 것만 같고, 그 행운이 내 곁에 머무르고 있다는 생각에 이전의 불편했던 기분이 사라지게 된다. 그래서 행운을 증표로 여기는 물건을 개인 지갑이나, 차 안에 두는 등 일상생활 곳곳에 두려고 한다. 하루 중 순간일지라도 그 물건을 통해 '아, 그때 그 상황이 얼마나 아찔했던지, 이게 나에게 힘이 되었지! 정말 행운이었어!' 다시금 생각하게 된다. 그리고 긍정 기운과 함께 지금, 현재에 감사함을 느끼며 살아가는 게 행운이 가져다 주는 진정한 행운이지 않을까 한다.

알고 보면 겁쟁이는 겁쟁이가 아니다.

빳빳한 스케치북을 시원하게 한 장 뜯어서 그 안에 큼지막한 하트를 그려 놓고, 하트 안에는 부모님에게 감사함을 표하는 편지글이 삐뚤빼뚤하게 적혀 있다.

"낳아주시고, 길러주셔서, 매일 맛있는 밥을 지어주셔서 감사합니다. 엄마, 아빠 사랑해요!"

어버이날을 맞이하여 쓴 손 편지인데, 초등학생 6년동안 대체로 비슷한 내용들이다. 부모님은 우리 아이가 이 편지를 쓰기 위해 글을 적고 지우고, 색칠하는 일련의 과정을 떠올리면서 고마움과 기특한 마음으로 편지들을 박스에 다 모아두셨다. 이게, '자식을 향한 부모님 사랑이구나' 싶었다.

개인적으로 사랑은 크게 3가지로 나눌 수 있다고 생각하는데, 평생 내편인 가족 사랑, 나 자신에 대한 사랑, 가족 외 타인에 대한 사랑이다. 그리고 사랑의 가장 핵심이자 씨앗은 가정이란 울타리 안에서 부모와 정서적 교감을 통해 건강한 애착관계를 형성하고, 가족 구성원과 안정적인 감정 교류를 나눌 줄 아는 거에서 시작한다고 생각한다. 감사하게도 아버지의 든든한 울타리 속에서 어머니의 긍정 에너지와 강한 생활력으로 나와 동생은 정서적으로 평온한 성장기를 보낼 수 있었다. 무엇보다도 자식들이 집 밖에서 대우를 받으려면 부모가 아이에게 본보기가 되어야 하고, 가정에서 교육을 잘 받아야 한다는 걸 부모님은 굉장히 강조하셨다. 옳고 그름을 분별할 줄 알아야 누군가 그릇된 행동을 임했을 때 의사를 명확하게 표현할 수 있다고 생각하셨기 때문이다. 나아가 나 자신을 사랑하고 아껴야만 타인의 존재와 마음도 소중하다는 것을 알게 되고, 이는 이성·연애관, 결혼관을 확립하는데 초석이 됨을 깨달았다.

사랑을 입체적으로 생각하기까지는 꽤 시간이 걸렸다. 아직도 배워가는 중이고 특히나 타인에 대한 사랑은 더 많은 노력을 필요로 함을 느낀다. 가끔은 내 마음이 어떤 감정인지 혼란스러울 때가 종종 있다. 다양한 사람들을 만나는 직종에 종사하면서 만남과 대화를 이어가는 게 어렵지 않다 보니, 상대에 대한 마음이 호의인지, 좋아함인지, 사랑인지 아님 관계 형성에 능숙해져서 자연스러운 매너인지 헷갈릴 때가 있다. 마음이 가는 대로 심플하게 생각하면 되지 않을까 하는데, 결국에는 복잡하고 미묘한 게 타인과의 사랑인 듯하다. 그래도 다년간의 연애와 사랑을 통해 명확하게 깨달은 건, 내가 소중히 여기며 사랑하는 사람일수록 '나 자신이 겁쟁이'가 되어간다는 것이다.

내가 사랑에 겁쟁이가 된 건, 내 나이 20대 후반에 한 남자를 만난 후부터였다. 한 없이 다정하고 솔직하게 마음을 표현할 줄 아는 사람으로 대화를 나눌수록 어쩜 이렇게 순수하고 진심인 사람이 있을까?

하는 생각을 했다. 정말, '보석 같은 사람일 수 있겠구나'란 생각에 이 보석을 알아본 내 자신이 대견하기도 했다. 나 또한 그 사람에게 다정하고 따뜻한 사람이 되고 싶어서 뚝딱거리는 순간도 많았는데, 그만큼 놓치고 싶지 않은 마음에 심리 서적들을 참 많이 읽곤 했었다. 서로에게 서서히 스며드는 연인으로 잘 지내며 내 평생 끝 사랑이 되길 바랬지만, 그 사람과 나는 서로의 사정으로 인해 시간을 가지기로 했었고, 2주 동안 덤덤하게 이별할 준비를 해야만 했다. 이후에는 심리적으로나 물리적으로나 서로 감정을 공유하지 못하고, 보지도 만지지도 못할 거란 생각을 하니 심장이 조여옴과 동시에 빨리 뛰면서 눈물이 하염없이 흘렀다. 차라리 돈으로 해결할 수 있으면 좋으련만 그렇지 못한 상황이 애석하기만 했었다. 함께 극복하기도 어려웠던 터라 용기를 내긴커녕 서로가 더 마음을 다치는 게 싫었던 나머지, 상대와 이별하기로 한 겁쟁이가 되고 말았다. 그렇게 우리 관계는 끝이 났다. 그 후 한 동안은 내 마음에 누군가를 품는다는 게, 초기 설렘의 감정보다는 끝의 두려움과 걱정이 앞서는 힘든 시기를 보냈었다.

그러다 곧 추석 명절이 다가와 온 가족이 거실에 모여 앉아서 TV를 보는데, 아버지는 소파에 앉아 있는 나와 동생을 보며, '언제 이렇게 컸을까?' 말하며 흐뭇하게 바라보셨다. 나는 그 눈빛을 잊을 수가 없다. 부모님께 "우리 키운다고 힘들었지? 갓 태어났을 때 엄마, 아빠는 기분이 어땠어?" 물었고 엄마의 대답은 내 마음에 확 꽂히게 되었다.

"이 작고 소중한 아가가 우리 곁에 왔다는 행복도 컸지만, 그만큼 엄청 무섭고 겁이 났어. 네 아빠가 곁에 있으니, 함께 반평생을 걸어 왔지"

난 속으로 사랑하게 되면 겁쟁이가 되는 게 두려운 게 아니구나, 마음을 다해서 사랑할 준비가 된 거구나, 호기롭게 같이 걸어갈 수 있는 씩씩한 연인을 만나고, 서로를 좋은 곳으로 이끌어 주는 배우자가 된다면 모든 게 처음인 인생을 살아가는 데 힘내 볼 수 있겠다는 막연한 자신감이 들었다. 그렇게, 나는 사랑하면 겁쟁이가 되는 걸 인정하고 나니, 이제는 사랑을 하고 주고받는 게 두렵지 않다. 오히려 상대를 사랑하는 내 마음의 정도를 가늠하는 척도로 여기며, 내게 소중한 존재 이자 아끼는 마음만큼이나 앞날을 함께 헤쳐 나갈 사람인지 더 유심히 가치관을 나누려는 노력을 하게 된다.

맞아, 꿈이란 그런 거야!

편지함을 열어 봉투를 하나씩 열어보던 중, 유달리 큰 봉투가 눈에 들어와서 집었다. 봉투 안에는 고등학교 3년 동안 학교에서 진행한 홀랜드 진로적성검사 결과지가 있었다. 1~2학년 결과지에는 압도적으로 S(사회형)와 A(예술형)가 높았고, 3학년 때는 E(진취형)가 추가되어 비슷한 비중을 차지했었다. 3장의 검사지를 나란히 펼쳐 놓고, 꿈 많던 나의 10대를 되돌아보았다. 그리고 사람의 기질과 성격 등은 시간이 흘러도 큰 틀에선 고유함이 지속되는구나 생각했다.

난, 어린 시절부터 꿈이 많았고 되고 싶은 것도 다양했다. 아마, 누구나 유년기에는 아침을 먹고 나서, 점심을 먹고 나서, 자기 전에 등등 하루에도 꿈이 수십 번 변경되곤 했을 것이다. 그리고 대체로 동사나 서술형보다는 명사, 단어 위주의 직업군에 국한해서 생각하는 경우가 많았다. 꿈이 곧 장래 희망이자 직업을 선택한 것과 같았다. 미취학 아동 시절에는 어땠을지 잘 기억나진 않지만, 학교를 입학하고 나선 직업군 선택이 결국 내 꿈이라고 여기곤 했었다.

초등학생 때는 교사, 예술가, 바이올리니스트, 피아니스트, 간호사
중학생 땐, 교사
고등학생 땐, 교사, 라디오 방송작가, 교육기획자

시기별 내가 그리던 꿈들과 희망했던 진로였다. 초등학생 때, 바이올린을 켜고 피아노를 치며 음악을 했던 이유는 그 순간 내 자신이 즐겁고, 곁에서 가족과 할아버지가 흥얼거리며 신나서 춤추는 모습에 덩달아 나도 행복했기 때문이다. 중학생 때는 수학을 어려워하는 짝꿍에게 기본 개념과 풀이 과정을 설명해 줬었는데, 친구가 스스로 문제를 풀어가며 자신감을 가지고 적극적으로 변해가는 모습이 좋았다. 또, 고등학생 때 야간자율학습 시간이면 아이리버 MP3로 라디오 사연을 듣고, 그 사연에 대해 청취자들이 공감하며 소통하는 라디오 매체가 굉장히 매력적으로 다가왔다. 긍정의 힘과 에너지, 따뜻한 메세지를 사회로 전파하는 라디오 방송작가가 되고 싶다는 꿈도 있었다.

학창 시절에 내 꿈을 들으면 '교대, 언론홍보계열, 교육학과를 전공했겠구나' 지레짐작할 수도 있지만, 나는 최종적으로 경영학을 전공했다. 나를 오랫동안 알아 온 지인들은 의아해했었다. 대학 진학을 앞두고 집중과 선택을 해야 하는데, 그게 나에겐 어려웠다. 스스로 방안을 찾으려고 한 게 무난하고, 사회에 폭 넓게 적용되는 실용 학문이 경영이라고 생각해서 선택하게 되었다. 경영학은 크게 재무, 회계, 마케팅, 인사 총 4개 분야가 있는데, 다행히도 난 인사·교육에 대한 관심으로 학업에 재미를 붙이며 공부했었다. 그리고 나의 첫 사회생활은 기업에서 신입사원 교육 담당과 우수한 인재를 선확보하기 위한 산학 연구장학생을 관리하는 일이었다. 인재 육성, 기업 생산성 증진, 임직원 만족도 고취 등 선순환 구조를 그리며 인적자원을 상향 표준화로 이

끄는 데 보람을 느꼈다. 하지만, 반복되는 일, 얽혀있는 이해관계, 다소 보수적인 조직문화 등으로 조금씩 회의감이 들었다. 그러던 중, 오랜만에 대학 친구와 저녁 시간을 보내며 사회생활의 애환을 나눴는데, 이때 뽕망치를 맞은 것처럼 정신이 번뜩 들었다. '맞아, 꿈이란 저런 거지'

이날 만난 친구는 나와 생일이 1주일 차이가 나는 동갑내기로 얼굴도 예쁘고 마음씨도 고운, 사회복지학을 전공하는 친구였다. 우린 인사 동아리에서 처음 만났고, 같은 팀으로 인재, 사람 그 자체에 대해 이야기하며 관리론, 교육론을 함께 공부했었다. 처음엔 다소 이상적인 내용을 구체화하여 현실적인 결과치로 도출하는 게 어려웠는데, 훈련이 반복될수록 사고의 깊이도 깊어지고 다각도로 토의하는 재미도 느낄 수 있었다. 그만큼 뜬구름 잡는 이야길 해도 요상하게 대화가 이어지며 편했고, 취업과 꿈, 연애에 대해서도 참 많이 나눴었다. 그날도 사회인이 된 지금, '우리의 꿈은 뭘까?', '어떻게 살아갈까?'에 대해 이야길 했는데, 대화 속에서 한 가지 재미있는 사실을 느끼게 되었다. 이제는 꿈이 명사가 아닌 동사, 서술형이 되었다는 점이었다. 친구는 덧붙여서 "난, 이야기보따리가 풍성한 할머니가 되는 거, 내 나이답게 늙어가는 게 내 꿈이야." 말했다. 나는 집에 돌아와서는 개운하게 샤워를 마치고, 이불 속에 들어와서는 천장을 멍하게 바라보며 오늘 이야기와 나를 되돌아보게 되었다. 유사한 일상을 의미 있게 보내고 싶었고, 어떻게 보내야 나에게 더 가치 있고 생동감이 있을까 하는 생각에 맴돌았다.

그 순간 문득, 매슬로우 욕구이론의 가장 원초적인 단계를 위해 일하고, 그 파이를 키우는 분야에서 일해 보면 어떨까 하는 내적 동기가 강하게 들었다. 이후, 나는 공익재단으로 경력을 전향했고, 장학금, 취약계층 등 사회적 지원이 필요한 분들과 사업을 위한 일을 쭉 해오고 있다.

참, 신기하다. 나의 10대, 20대 그리고 어느 정도 사회에 적응하는 방법을 터득한 30대인 현재까지, 세세하게 되돌아보면 교사, 예술가, 방송작가 등으로 분야가 핑퐁하며 연관성이 결여된 길을 걸어 온 듯 보인다. 하지만, 조금 멀리 떨어져서 관망하듯이 본다면, 난 크게는 사회형(S)에 기반해서 유사한 방향으로 삶을 추구하며 가고 있구나 생각하게 되었다. 그리고 나를 움직이는 힘은 더 나은 사회발전에 기여할 수 있는 선한 영향을 주는 사람이 되는 것이고, 이게 곧 내가 지향하는 삶의 방향이자 꿈이겠구나! 깨달았다.

2019년에 방영된 예능프로그램 '슈퍼인턴'에서 박진영 PD는 3명의 인턴 참가자들과 함께 식사하는 시간이 있었다. 대표와 인턴들간 보편적인 대화가 오가던 중, 내 마음에 긴 여운으로 남았던 말이 있었는데,

"꿈은 직업과 위치가 되어선 안 된다.
어떤 가치가 꿈이 되어서 그 가치를 전달하면서 사는 거지."

참으로 멋있고 공감가는 말이지 않은가?

〈에필로그〉

걸어온 인생, 살아갈 인생
얼굴을 책임지는 여유로움과 함께

흔히, 불혹의 나이가 되면 자기 얼굴과 인상에 책임져야 할 시기라고 말한다. 10대와 20대를 지나 30대 중반인 나도 몇 년 후면 40대에 이르게 된다. 20대만 하더라도 40대라 하면 굉장히 멀게만 여겨졌는데, 대학을 졸업하고 사회생활을 시작하고 일에 재미를 붙이며 하루하루 지내다 보니, 어느덧 이 시기가 꽤 가까이 다가옴을 느낀다. 내 평생 단짝 친구인 어머니가 우스갯소리로 '우리 딸이 지금까지 엄마랑 놀 줄 몰랐네?' 말씀하실 때면 현실을 체감하게 된다.

참, 시간 빠르지 않은가?
나이를 먹을수록 시간이 흘러가는 속도도 배가 된다는 어른들의 말씀은 하나도 틀린 게 없다.

'인생탐구'는 유년기 편지글을 통해 일상 곳곳에 아주 당연하게 여겨지는 가족, 친구, 사랑, 꿈 등을 나이 듦의 시선으로 되돌아보았다. 시간의 흐름 속에서 변해가는 관점, 성숙해지는 생각들을 독자에게 제나름의 표현 방식을 통해 생각 주머니를 던져보려 했는데, 전달이 잘되었기를 바란다. 그저 독자가 읽는 동안 잠시나마 생각에 잠겨 쉬는 구간이 있었다면, 그것만으로 '인생탐구'를 쓴 보람은 충분하다.

사실, 나는 내 이야기를 쓰고 글을 통해 누군가 공감을 주고받는 이 과정이 여전히 어색하고 낯설다. 실시간으로 소통하는 대면식 대화는 상대의 감정과 표정을 공유할 수 있지만, 글로서 전하는 건 그만큼 많은 노력을 해야 하는 어려운 일이다. 자칫 내 뜻과는 반하게 전달될 수 있는 여지가 있기 때문이다. 지금, 이 글을 마무리하기 위해 마침표를 찍으러 가는 순간까지도 '잘하는 건가, 전달하는데 오해는 없을까?' 하는 생각이 맴돈다. 하지만, 그럼에도 불구하고 글을 써내려 가는 건, 내 일대기를 되돌아보며 자기객관화를 가져 본 이 시간이 스스로에게 의미가 있었고 이를 온전한 결과물로 남겨두고 싶은 마음에서이다.

자신을 객관적으로 바라보고 생각할 수 있는 태도는 앞으로 살아갈 나날을 위해 굉장히 중요한 동력이다. 이는 생각보다 많은 용기가 필요하다.

10대와 20대에는 사회 변화에 민감하게 반응하고, 대중성에 기인한 모방하는 삶을 추구하곤 했었다. 행동하기에 앞서 이게 맞는지 아닌지를 고민하기보단 무리의 일원으로 함께하는 게 불완전했던 10대와 20대에겐 심리적인 안정감과 평온함을 주었기 때문이다. 그러다 30대에 이르면 경험하는 환경이 확연히 넓어지면서 가치관 혼란기를 겪곤 하는데, 자기객관화를 통해 이 시기를 잘 보낸다면 이후에는 주체적인 삶과 여러 현상을 분별하며 받아들일 줄 아는 단단한 마인드를 갖춘 사람으로 성장하게 된다. 이게, 곧 내가 독자에게 전하고 싶은 궁극적인 메세지이기도 하다.

　　걸어온 인생을 되돌아본다는 건, 자기객관화에 대면할 준비와 용기가 있다는 것이고 살아갈 인생을 준비한다는 건, 그만큼 자기객관화를 통해 본인의 장단점, 강약점을 잘 알고 있다는 것이다.

　　결국, 이러한 생각을 해봤거나 접해 본 사람일수록 앞으로 내 얼굴과 인상을 책임질 수 있는 여유로운 마인드로 삶을 살아갈 준비도 되어 있지 않을까?

　　난, 이렇게 살아가려고 노력할 것이다.
　　그리고 당신도 함께했으면 좋겠다.

아이와 어른 사이

최지현

최지현 연기를 했고, 연출의 꿈을 품고 있는
지금은 작지만, 점차 커질 어느 예술가다.
그리고 작가로서 새로운 첫발을 내딛다.

어리고 여렸던 지난날 상처만 가득했던
그 어느 날부터 글을 쓰기 시작했다.
확실히 글만큼 정확히 내 마음을 표출할 곳이 없었다.
그리고 위로가 되었다.

나로부터 시작되는 글을 쓴다.
삶과 사람 그리고 사랑을 이야기한다.
글로 그들의 마음 어느 한구석에 앉아
위로를 전하고 싶다.

instagram: @1_onmymind

이야기를 열어보며

아이와 어른 사이에 서 있는 지금의 당신에게

"난 이제 어른이다!"라고 생각했던 20살부터 여전히 20대의 어느 순간들을 걸어가고 있는 현재도 진짜 어른이 되었다고 생각해 본 적은 없다. 앞으로 나이가 더 들수록, 결혼을 하고 한 아이의 엄마가 되더라도 어른이 되었다고 말할 수 있을지 사실 잘 모르겠다. 어른이라는 거대한 단어가 잘 살아야만 어른이라고 인정받을 수 있을 것 같아서 압박의 말로 다가오기도 한다. 당장 지금의 삶에 존재하는 일, 꿈, 사랑 그 어떠한 것도 내 마음대로 되지 않아 그저 막막하고 불안할 뿐이다. 어쩌면 내가 생각하는 어른은 참 대단하다고 여겨져 지금의 삶도 제대로 버텨내지 못하는 나는 아직 어른이 될 수 없다고 여겨지기도 한다. 그럼에도 이 모든 것들이 잘 살고 싶어서 하는 고민과 투정임을 믿는다. 잘 살려고 발버둥 치고 있다는 사실이 더 나은 삶으로 가고 있다는 것을 어른이 되어가고 있는 모든 이들이 알았으면 한다. 앞으로 이야기 할 목차들의 큰 틀인 사랑하기, 넘어지기, 버려 보기는 삶에서 꾸준히 반복될 사항들이다. 이 글을 통해 독자들에게 누구나 거치는 당연한, 어쩌면 거치지 않고 서는 살아갈 수 없는 과정이라고 이야기하고 싶다.

첫 번째로 "사랑하기"는 사랑하는 것이 중요하다는 것을 이야기 하고 싶다. 다른 어떠한 것보다

나 자신을 말이다. 저마다 사랑의 의미와 가치는 다를지라도 혹여 그게 아주 다른 형태를 지니고 있다 한들 이 세상 모든 사랑을 존중한다. 모든 이들의 사랑이 예쁜 마음이라는 것은 일맥상통할 테니 말이다. 사랑이 존재하지 않았던 지난날 마음의 상태는 늘 비가 왔다. 그러나 사랑이 무엇인지 알게 되고 사랑이 삶 속에 들어온 이후 현재 마음의 상태는 늘 맑음이다. 이렇듯 사랑을 통해 삶의 기분, 온도 이외에도 많은 것들이 바뀔 수 있다. 사랑이 흘러넘치면 넘칠수록 삶은 풍요로워진다. 어쩌면 가장 어려운 일일 수 있지만 가장 필요한 일이기도 하다. 나를 사랑하면 그 어떠한 것도 사랑할 수 있다. 그저 사랑이 당신의 삶에 존재했으면 한다.

두 번째로 "넘어지기"는 언제든 넘어져도 그럴 수 있다며 괜찮다는 것을 말해주고 싶다. 내면이 강해지는 것에는 다양한 방법들이 존재하겠지만 일단 그 전에 넘어져 봐야 한다. 그래야 울어도 보고 그대로 주저앉아 힘듦을 느껴 보기도 한다. 그렇게 넘어진 당신에게 당장 일어서는 법을 알려주기보다는 "괜찮아"라고 말해주고 싶다. 지난날 힘들었던 어떤 순간들에 처해 있을 때 누군가에게 가장 듣고 싶었던 말은

괜찮다는 말이었다. 어쩌면 나 자신이 듣지 못했던 말이었기에 더더욱이나 독자들에게 해주고 싶은 말이기도 하다. 실수해도 괜찮다는 사실은 누구나 안다. 하지만 실수할 때마다 실수해도 괜찮다는 사실을 잊어버린다. 마냥 나 자신을 자책하기만 했던 그때의 나와 당신에게 말해주고 싶다. 실수해도 그리고 넘어져도 괜찮다고, 그러니 앞으로도 계속해서 넘어져 보라고, 그래야 단단해질 수 있다고. 넘어진 곳에는 위로가 있다. 지금 넘어졌다면 넘어진 그 누군가에게 괜찮다는 위로를 건네고 싶다.

마지막 세 번째로 "버텨 보기"는 살면서 많은 순간에 존재할 준비 과정 중 하나라고 말하고 싶다. 아마도 어른이 되기 위한 과정 중 가장 힘든 과정이 아닐까 싶다. 내 스스로가 생각하는 멋진 어른은 잘 참고 잘 버티는 사람이다. 특히나 당장의 기분이 태도가 되지 않는 사람, 참을 수 없는 상황에서 참을 수 있는 사람, 누가 뭐라 해도 자신의 길을 묵묵히 걸어가는 사람이다. 이러한 사람들 또한 잘 버틸 수 있을 때까지 많은 시행착오와 과정을 거쳤기에 단단한 내면으로 잘 버틸 수 있는 어른이 된 것이다. 모든 것의 결과, 끝, 마무리는 버팀이라는 과정을 거쳐야 한다. 넘어져 봤다면 버텨볼 줄도 알아야 한다. 버티다 보면 그 안에 강한 힘이 생기고, 그 힘은 삶의 원동력이 된다. "버티자, 버티는 거야. 버티면 다 되는 거야!"버티면 결국 결과는 나타나기 마련이다. 꽃은 날 좋은 봄, 가을에만 피는 것이 아니다. 추운 겨울에도 여전히 꽃은 핀다.

인생에서 맞고 틀리고의 정답은 없다. 그저 어디를 향해 어떻게 걸

어가는지가 중요하다. 그러니

　무엇을 하든 물음표는 남기지 않았으면 한다. 느낌표만 던질 수 있는 삶이 되길 진심으로 응원하는 바이다. 모두의 제각기 생김새, 나이, 하는 일, 가치관 등 많은 게 다른 우리지만 그것과는 무관하게도 좋은 어른이 되겠다는 마음 하나만은 동일할 테니까.

제1장 : "사랑하기"

내가 어떤 모습이라도

　많은 사람들이 스스로 자존감이 높다는 자신감 넘치는 말들을 하곤 한다. 개개인이 생각하는 자존감의 크기는 어떠할 지 모르겠다. 내 자신도 자존감이 높다고 여겼던 순간이 있던 반면에 자존감이 바닥을 찍은 적도 있다. 자존감이 높다고 여겼던 날들은 어떠한 일을 잘 해냈을 때 이며, 세웠던 계획들을 모두 다 수행하고 결국 해냈을 때 내 스스로 자존감을 높게 샀다. 자존감이 바닥이라고 여겼던 순간은 내가 이것 밖에 안되는 사람인가 절망 속에 빠져 많은 생각을 하게 했던 일들이 자존감을 떨어지게 만들었다. 그러나 누구나 다양한 순간들을 마주한다. 내 스스로가 멋있고 잘 해냈고 그래서 자존감이 높은 순간이 있는 반면에 겨우 이것도 해내지 못한 못난 스스로를 보면 자존감이 내려가는 건 어쩌면 당연하다. 그렇지만 진짜 자존감이 높고 그래서 나를 진정 사랑하는 것은 내가 어떤 모습이라도, 그 모습이 마냥 못나 보이기만 하더라도 그래도 내 스스로를 사랑해 주는 것이 진짜 자존감 높은 자신감이다.

화제가 되었던 스트릿 우먼 파이터라는 댄서들의 경연 프로그램에 나왔던 댄서 리정 님이 유퀴즈(129회)에 나와 했던 말이 생각난다. 리정 님은 춤을 시작한 지 얼마 안 된 시점부터 너무 좋은 팀에 들어가 큰 무대를 하게 되었고 그 팀에서 나와 가수들의 안무 시안을 할 때에도 모두 채택되어 승승장구 하던 나날들 속 한 번도 넘어져 본 적이 없다는 말을 하였다. 그 이후 스트릿 우먼 파이터 방송에 나가 좋은 활약을 보여주다 파이널 무대 바로 직전에 탈락하게 되었다. 그런데 그때가 리정 님의 인생에서 처음으로 넘어져 봤던 순간이라고 말하였다. 그 전에는 "아니요. 잘할 수 있어요. 제가 이길 수 있어요. 제가 우승할 수 있어요." 이게 자신감인 줄 알았으나 스트릿 우먼 파이터 방송을 통해 "온전히 내가 어떤 모습을 마주했을 때도 나를 사랑해 줄 수 있었을 때 나오는 게 그게 진짜 자신감이다."라는 것을 깨달았다고 한다. 이 방송을 보며 내 자신도 깨달았다. 뭘 꼭 잘해야만, 이뤄내야만 자신감 있는 건 진짜가 아니라는 것을. 무언가를 못 했을 때, 이뤄내지 못한 순간에도 내가 정말 어떤 모습이라도 그 자체를 사랑해 줄 수 있어야 그게 진짜 높은 자존감이고 자신감이라는 것을 말이다.

스스로를 소외시키지 말자. 자존감이 바닥으로 떨어진 나를 나조차 내 편이 아니라면 그건 너무 슬픈 일이다. 진정한 내 편은 나를 가장 잘 아는 "나"다. 내가 어떤 모습이라도 일단 내가 내 편이 되어야 한다. 그리고 그 자체를 사랑해 줄 줄 알아야 한다. 당장은 어려울 수 있지만, 인생에서 꼭 해내야 하는 중요한 숙제 와도 같지만, 그럴수록 스스로를 보듬어 보자. 내가 어떤 모습이어도 내 스스로는 내 편이어야 하니까.

남들이 아닌 나의 시선

가수 이효리, 이상순 님의 부부 이야기다. 어느 날 의자를 다듬고 있던 와중 이상순 님이 의자 밑바닥 부분을 아주 세심하게 닦고 다듬는 모습을 이효리 님이 보았다. 그것을 본 이효리 님이 "거긴 눈에 보이지도 않고 사람들이 모르는데 왜 그렇게까지 정성을 다해." 이 말에 이상순 님이 답한다. "내가 알잖아."

다른 사람들의 눈을 따라 의자를 닦고 다듬는다면 의자에 보이는 부분만 닦았을 것이다. 하지만 다른 사람이 아닌 본인의 시선으로 의자 밑바닥 부분까지 닦아내는 이상순 님이 참 인상적이었다. 맞다. 누군가 알아서 봐주는 것도 중요하지만, 그것보다 더 중요한 건 내가 아는 것이다. 나를 바라보는 시선도 마찬가지이다. 누군가의 시선도 당연히 중요하지만, 내가 봤을 때 만족하는 것이

더 중요하다. 이 사실을 잊고 남들의 시선을 더 의식했던 지난날의 내 모습이 생각나 굉장히 부끄러웠다. 이렇게 작고 사소한 것부터 큰 어떠한 것까지 모두 나의 시선으로 바꿔야 한다. 내 인생은 내가 살아가는 것이다. 그러니 내 시선에 맞춰야 하는 건 어쩌면 당연한 일이다.

삶에서의 만족 또한 내가 채우는 것이다. 누군가의 눈이 아닌, 내 눈으로 말이다. 남들이 아닌 나의 시선으로 비추어 바라보자. 다른 사람의 시선을 의식하기보다 나의 시선을 의식하자. 그게 무엇이든. 그래서 스스로 만족할 수 있는 삶을 꾸려 나갔으면 그랬으면 한다. 그게 곧 나를 사랑하는 일이기 때문이다.

제2장 : "넘어지기"

이번 생은 처음이라

"예전에 봤던 바다라도 오늘 이 바다는 처음이잖아요.

다 아는 것도, 해봤던 것도 그 순간 그 사람과는 다 처음인 거잖아요.

어제를 살아봤다고 오늘을 다 아는 건 아니니까." 드라마 - 이번 생은 처음이라 中

좋아하는 드라마의 명대사이다. 10번 이상은 본 드라마이다. 이렇게 봤던 드라마를 또다시 봤던

이유는 이 드라마를 볼 때마다 느껴지는 분위기나 대사들이 나를 편안히 쉬게 해줬기 때문이다. 드라마의 제목처럼 "이번 생은 처음이라"라는 말이 혹여 실수할 때마다, 처음 해보는 일을 할 때마다 가슴에 지

니고 싶은 말이기도 하다. 실수했을 때마다 가볍게 생각하고 넘겼던 적이 없었던

나였기에. 실수했을 때마다 후회하며 자책했던 날들이 허다했기 때문에.

지난날, 실수한 것이 그럴 수 있다며 괜찮다고 말해주는 사람이 없었다. 나조차 나에게 말해주지 못했다. 그래서 실수하면 안 된다고 생각했던 것들이 점차 강박이 되었다. 그러니 실수할 때마다 자책하고 후회할 수밖에 없었던 지난 날이었다. 그러던 중 누군가 내게 말했다. "누구나 실수해. 너만 그런 거 아니야. 다 그래." 알고는 있던 사실이지만 누군가 내게 말해주지 않았고, 나 또한 그렇게 받아들이려고 하지 않아서 몰랐다. 직접 말로써 들으니, 안심되었다. 그래서 나와 같은 누군가에게 말해주고 싶다. 실수해도 된다고. 실수해도 괜찮다고. 실수했던 경험을 통해 나의 부족함을 채울 수 있다고. 실수를 함으로써 몰랐던 점을 알게 된다. 다 경험이고 과정이라는 사실을 잊지 않았으면 한다. 실수도 하면서 사는 거다. 실수한다고 세상이 무너지는 건 아니니까. 괜찮다. 어차피 이번 생은 우리 모두 처음이니까.

"잠시 잊고 살았다. 이번 생도, 이 순간도, 단 하나뿐이라는 걸."
드라마 - 이번 생은 처음이라 中

터놓고 말해보기
"여보세요."

"뭐해."

"나 그냥 있지. 너는?"

"….."

"무슨 일 있어?"

"나 힘들어."

오랜만에 온 친구의 전화에는 힘이 가득 들어가 보였다. 평소 걱정
거리라곤 1도 없어 보이는

그의 입술에서 내뱉는 힘들다는 말은 지금껏 단 한 번도 들어본 적
이 없던 말이었다.

그래서인지 그 친구의 말이 참 마음이 아팠다. 지난날 철없어 보이
던 모습 속에서도 또래 친구들보다 성숙했던 친구였다. 그런데 그 성
숙함이라는 바탕 안에 힘듦이라는 엄청난 무게가 베이스로 깔려 있었
다. 그동안 눈에 보이지 않았던 힘듦은 누군가의 눈에 보이지 않도록
꾹꾹 눌러 담아 숨기고 있음을 알게 되었다. "내가 한 번 더 참으면, 이
것만 지나면, 괜찮아지겠지."라는 마음으로 계속해서 참고 있던 것이
다. 그런 친구의 내면에 많은 어려움이 있음에도 힘들다며 나 좀 위로
해달라고 말을 꺼내놓는 것 그 자체가 참 고마웠다. 나 또한 누군가에
게 나의 힘듦을 털어놓았을 때 이런 기분이지 않았을까. 문득 이 친구
의 말을 들으며 내 어릴 적이 떠올랐다. 의지할 누군가가 없던, 작고
여린 그리고 정말 어렸던 그때의 내가. 그때의 난 누군가에게 내 이야
기를 털어놓고 나면 늘 미안했다. 그리고 고마웠다. 좋은 이야기도 아

니고 힘든 이야기를 듣는 것이 참으로 힘들다는 것을 알았기 때문이다. 그래서 나 때문에 안 좋은 영향을 끼칠까 봐 미안했고, 본인도 힘들고 바쁠 텐데 그 와중에 내 이야기를 들어줄 수 있음에 고마웠다. 그래서 그때의 나를 생각하며 나 스스로가 타인에게 듣고 싶었던 "내가 너의 마음을 알아."라는 말을 해주었다. 힘듦을 털어놓는 모든 이들이 마찬가지 아닌가? 직접적으로 당사자가 되어 모든 걸 다 알 순 없지만 마음에 공감을 해주는 것만으로도 이야기하는 이에게 힘을 실어줄 수 있다는 사실 말이다. 이 친구 역시나 그렇지 않을까 싶어 그저 마음을 알아주려 내뱉은 말이 다행히도 위로가 되었다.

그리고 털어놓는 것이 습관화 되어있지 않아 이 자체가 참 어색하다고 하는 친구에게 지금까지 힘든 순간들이 많았지만 털어놓지 않아서 몰랐던 것이라며 오늘만큼은 다 털어놓고 울고 싶으면 울고 쏟아부으라는 말을 하곤 했다. 그러고 나면 조금은 괜찮아져 있을, 내일이 되면 오늘보다 조금은 나아져 있을 것을 잘 알기 때문에 그저 마음의 짐을 덜어주고 싶었다. 그리고 마음을 온전히 쉬게 해주고 싶었다. 모든 이들이 다 그런 것은 아니지만 털어놓는 것을 어려워하는 이들이 있다. 어떤 이유 때문인진 모르겠지만 대체로 큰일이 아니라며 혹은 큰일로 여기고 싶지 않아 그냥 넘겨버리려는 경우도 있고, 말해봤자 뭐가 달라지나. 라고, 생각하며 혼자 마음속에 지닌 경우가 있다. 그러나 말하고 안 하고는 참 큰 차이가 있다. 당장은 눈에 보이지 않지만, 그것들이 내면에 쌓이고 쌓여 언제 터질지 모르는 시한폭탄이 잠재의식 속 존재하기 때문이다. 그러므로 쌓아 두지 않고 이야기해야 한다.

터놓고 말해보는 것에는 2가지 유형이 있다. 첫 번째로는 어떤 일이 있어서 해소하고 싶고 위로받고 싶어서 털어놓는 유형이 있고, 두 번째로는 누군가에게 쌓인 불평이나 불만 등을 내면으로부터 꺼내어 털어놓는 유형이 있다. 첫 번째 유형은 말함으로써 해소된다는 것을 겪어 본 많은 이들은 알 것이다. 묶여 있는 문제를 내면으로부터 꺼낸다는 것 자체가 마음이 괜찮아지는 데 큰 도움이 된다. 게다가 내 이야기를 들어주는 누군가가 있다는 것만으로도 위로가 된다. 터놓고 말하는 이는 털어놓음으로써 후련해지고, 듣는 이는 들어주는 것만으로도 상대에게 위로가 될 수 있다. 털어놓을 땐 상대의 눈치를 보지 않고 마음껏 털어놓아도 된다. 나 또한 반대의 입장이 되면 그땐 내가 들어주는 입장이 될 테니. 그러니 마음껏 터놓고 말해보자. 관계에 있어서 힘듦을 주고받는다는 것 자체가 더 깊은 사이가 될 수 있도록 만들어준다. 그리고 두 번째 유형은 앞으로 헤쳐 나갈 어려운 숙제 같다. 내면에 쌓이기 전에 바로바로 말을 잘하는 사람이라면 해당하지 않겠지만, 글쓴이처럼 마음에 있는 말을 잘하지 못하는 누군가 라면 같은 입장일 것 같다. 꺼내 놓는 것이 어려운 이유는 상대가 날 어떻게 생각할지 모르기 때문이다. 그리고 혹여 이 말을 함으로써 관계가 틀어지진 않을까. 쓸데없는 걱정까지 하므로 더더욱이나 말하는 것이 쉽지 않음을 안다.

무조건 솔직 하라는 말이 아니다. 내면에 쌓아 둘 것 같은 일은 꺼내 보자는 것이다. 말을 꺼내기까지 많은 고민과 시간이 걸리겠지만 막상 꺼내 보고 나면 별일 아닐 거다. 왜 이걸 이제 말했을까 싶을 정도로 속이 후련해질 것이다. 앞으로 삶에서 다양한 문제들과 마주할 텐데 그럴 때마다 말해야 할 것들은 말해서 괜찮아졌으면 한다. 우리 모두 마음 아프고 고생할 일이 너무나 많기에 조금이나마 그것을 덜어 놓았으면 한다. 누군가는 당신의 털어놓음을 기다리고 있다. 그러니 터놓고 말해보자. 그게 위로를 받고 싶은 말이든, 누군가에게 하지 못했던 쌓아 둔 말이든.

쉼이 필요해서 그래

높은 언덕을 하염없이 올라간 적이 있다. 아무리 올라가도 끝은 보이지 않았고 막막하고 허무해

그 자리에 털썩 주저앉았다. 난 이것밖에 되지 않는 사람인가 내 스스로를 의심하고 한탄하며 현실 자각 타임에 빠져 그 자리에 머물러 있었다. 내 20대 초반은 늘 그랬던 것 같다. 작은 말 한마디에 상처받아서 울고, 털어놓을 사람이 없어서 울고, 하는 일이 잘되지 않아서 울고, 앞이 보이지 않는 터널과 같은 길을 걷고 있는 것 같아서 울고, 심지어는 그 길이 잘 가고 있는 건지 모르겠기에 울었다. 울음으로 가득했던 어릴 적 내게는 '쉼'이라는 단어가 무엇인지도 잘 모른 채 현실이라는 삶을 정처 없이 걸어 나갔다. 누군가 내게 이야기했을 수도 있다. "쉬면서 해." 그러나 그때는 쉰다는 것이 마냥 자빠져 자면 되는 건지. 지금보다 쉬는 시간을 늘리면 되는 건지. 쉼을 어떻게 가져야 하는지 방법도 잘 알지 못했다. 그러나 그때보다 조금은 더 성숙해진 지금은 알겠다. 내게 쉬면서 하라는 말이 무엇인지도 알겠다. 그 모든 것에는 진정한 쉼이 필요했음을. 육체와 마음에 쉼이라는 안정감을 줘야

만 한다는 사실을 말이다. 쉬지 않고 달려와 보니 더 확실히 알게 되었다. 하염없이 계속해서 가는 사람은 없고, 있다 한들 그래서 어떠한 것을 이뤄냈다 한들 그 일은 잘되었을 수도 있으나 육체나 마음 어느 한 구석은 분명 망가져 있을 것이다. 또한 빨리 이뤄 놓고 쉼을 갖는 누군가가 있을 수 있다. 그러나 그건 그만큼 가는 길이 쉽지 않았을 것이다. 게다가 가는 길에 쉼이 없어서 그래서 추후 자신을 돌아보고 자신을 알게 되는 시간을 갖는 사람들도 종종 보았다. 뭘 하든 쉼은 필요하다. 쉼이라는 시간을 많이 가진다고 게으른 것도 아니고, 그렇다고 쉼을 적게 갖는다고 충분히 쉬어준 것도 아니다. 쉼의 시간을 길게 가졌더라면 그 시간만큼 더 오래 달릴 수 있도록 충분한 쉼을 가졌다고 생각했으면 한다. 쉼이라는 것은 자신을 더 알아갈 수 있는 좋은 시간이 되기도 한다. 쉼이라는 여유를 가졌을 때 나를 돌아볼 수 있고, 나를 알아갈 수 있다. 혹시 지금 힘듦이라는 무게가 스스로를 짓누르고 있다면, 그렇게 느껴진다면 쉼을 가졌으면 좋겠다. 어쩌면 쉼이 필요해서 그럴 수도 있다.

1년 전 어느 날, 늘 짜인 계획에 맞춰 사느라 바빴고 정신없던 날들을 뒤로하고 정말 몇 년 만에 조금은 긴 쉼을 갖게 되었다. 성격상 계획이나 일정이 없이 마냥 늘어지는 나 스스로를 보는 것을 정말 싫어한다. 그런 나를 보면 마냥 게으르기만 한 것 같아서 다시금 계획을 짜기도 했다. 그때도 역시 제대로 쉬어본 적이 없어서 쉼이라는 개념을 잘 몰랐다. 가만히 있는 것이 어색했고 뭔가를 계속해야 할 것만 같았다. 그러나 진정한 쉼을 가지며 '나'라는 사람을 더 잘 알게 되었다.

"나는 무채색을 좋아하는 줄로만 알았는데 분홍색도 좋아하네?", "난 사람을 좋아하니까 외향형인 줄 알았는데 내향형이었네?" 쉼을 갖는 시간이 처음에는 어색했지만, 쉼이라는 시간은 이렇게 나라는 사람에 대해서 몰랐던 부분들을 알아갈 수 있는 좋은 시간이 되었다. 각자가 쉴 수 있는 쉼의 시간은 각기 다르겠지만 그게 한 시간이 되었든 하루가 되었든 쉴 수 있을 때 그 시간을 온전히 누렸으면 좋겠다. 꼭 무조건 연차를 내거나 휴가 때 가는 여행만이 쉼이 아니다. 늘 똑같다고 여겨지는 일상에 잠시 시간을 내어 잠깐이라도 나를 되돌아보는 것. 저 멀리 펼쳐진 예쁜 풍경을 바라보는 것. 좋아하는 간식이나 음료를 먹으며 마음을 달래주는 것. 이것 또한 모두 '쉼'이다. 이렇듯 넘어진 김에 잠시 쉬었다 갔으면 한다. 넘어지지 않았더라도 쉼을 가지고 싶다면 쉬었다 가길 바란다. 넘어진 그곳에는 위로가 있다. 그리고 그 위로는 다시 일어설 수 있도록 삶을 이끌어 준다. 넘어졌던 순간들을 되돌아보면 누군가가 건넨 말 한마디 덕분에 일어설 수 있었다. 그리고 그것들이 한층 더 단단해진 지금의 나로 만들어 주었다. 넘어진다는 것은 다시금 일어섰을 때 잘 걸어갈 수 있도록 운동화 끈을 다시 묶을 수 있는, 물 한 모금 마시며 숨 고를 수 있는, 잠시 멈춰 서서 저 멀리 예쁘게 나를 반기는 풍경을 볼 수 있는 시간이다. 무엇을 하든 어디를 가든 잠시나마 쉼을 갖는 시간이 꼭 있었으면 한다. 쉼은 언제나 늘 필요하다. 쉼이 마냥 게으른 것이 아니다. 더 나은 나, 더 나은 내일로 가려는 방법의 하나이다.

"쉼이 필요해서 그래." 넘어진 것에 좌절하지 말고.

"쉬면서 해." 다시 일어섰을 때 더 잘 걸어갈 수 있게.

제 3장 : "버텨 보기"

버티면 다 되는 거야!

제목만 봐서는 말이 쉽지.라고 생각할 수 있다. 나 또한 지나온 수많은 시간 속 버틸 수 없었던 날들이 허다했기 때문이다. 버틴다는 것이 얼마나 어렵고 힘든 일인지, 여전히 버티는 과정에 살아가고 있기 때문에 더더욱이나 쉽지 않다는 것을 잘 안다. 그러나 인생이라는 큰 틀에 버팀이라는 종목은 늘 어딜 가나 존재한다. 지금보다 더 어렸을 땐 몰랐다. 왜 자꾸 버티라고 하는 건지, 내 속 사정은 알기나 하고 저렇게 말하는 건지. 그저 그렇게 말하는 사람들은 제삼자이며 감당할 수 없이 힘든 내 입장과는 달리 무책임한 말이라고 생각했다. 그래서 몰랐지만, 시간이 지나고 나니 이제는 좀 알겠다. 버티는 것은 참으로 힘들지만 버티고 났을 때 자기 모습은 버티기 이전과는 달리 많은 변화를 불러 킬 수 있다는 사실을 말이다. 모든 사람이 마찬가지로 어렵고 힘든 시간을 보내온 사람만이 이 전보다 더 성장했다는 것을 알 수 있다. 성장이라는 것은 당장은 눈에 보이지 않지만 "힘들다."라고 마음으로, 몸으로 느껴온 모든 시간을 지나와 한층 더 업그레이드된 나의 모습을 의미한다. 게다가 그 시간은 나의 내면을 더욱더 단단하게 만들어 주는 역할을 한다. 앞으로 나이가 들면 들수록 버텨야 하는 순간들은 더 많아진다. 버티기 싫어서 그래서 주저앉아 피할 길은 점차 줄어든다. 책임감이라는 존재는 삶에서 참 많은 것들을 진두지휘할 것이기 때문이다.

그래서 더더욱 버티는 것이 필요하다. 우리가 앞으로 살아가는 순간순간들에. 독자 개개인의 상황과 환경은 제각기 다 다르기에 모든 순간을 버티라고 말하고 싶지 않다. 죽을 것 같이 힘든데 그 순간을 마냥 버티기만 한다면 그건 오히려 독이 될 수 있다. 말하고 싶은 바는 꼭 버텨야 하는 순간이 찾아왔을 때 이 글을 적용해 보았으면 한다. 누구나 버텨야 하는 순간은 찾아오기 마련인데 그때 이 악물고 한번 버텨 보자는 거다. 당장은 두렵고 그래서 못할 것 같지만 지나온 순간을 되돌아보면 버티고 버틴 시간 덕분에 지금의 내가 있음을 느낀다. 그래서 힘듦의 크기가 크면 클수록 나를 더 크게 성장할 수 있게 만들어 준다. 그리고 그것들이 모여 나를 더 나은 길로 갈 수 있도록 이끌어 준다. "감정은 사라지고 결과는 남는다.", "이 또한 지나가리라."라는 두 구절이 생각난다. 힘든 감정은 사라지고 지나갈 것이며 힘듦을 거쳐 만들어진 결과는 남을 것이라는 말이다. 버틴 시간은 결코 후회로 남지 않는다. 버텼는데도 결과가 좋지 않다면 분명 이유가 있을 것이다. 당장은 마음 아프고 힘들겠지만 그걸 탓하거나 아까워하기보다 다른 어떠한 것을 위해 버텼다고 생각했으면 좋겠다. 당장은 아니더라도 나중 언젠가 꼭 보상받을 것이다.

예전에 잠깐 회사에 다녔던 적이 있다. 그 회사에서 엑셀이나 포토샵 같은 익숙지 않은 처음 해보는 일을 시켜서 참 당황했다. "실수하면 어떡하지. 결과가 좋지 않으면 어떡하지. 시간 내에 못 끝내면 어떡하지." 등의 걱정을 가득 안고 일단 해보았다. 당연히 처음 해 보니 어려웠고 생각했던 것과 같이 결과물이 좋지 않아 도망가고 싶었다. 그런데 회사에서는 그 일을 내게 계속 시켰다. 그래서 밉보이고 싶지 않은 마음에 평소보다 일찍 출근해 연습하고 업무 중에도 틈나는 시간마다 유튜브 영상을 보며 기본적인 것들을 배우곤 했다. 그렇게 계속하니까 잘하고 싶었고 잘하고 싶은 마음이 어느새 잘하고 있는 나를 발견 했다. 다른 사람들에게도 "잘했다."라는 말을 들을 수 있을 정도로 결과를 나타냈다. 물론 익숙해지는 데까지 긴 시간이 걸렸지만, 그 시간을 통해 결국은 처음 해보는, 못하는 일을 해낼 수 있었다. "뭐든 하면, 버티면 되는구나."라는 것을 깨달았고 결과도 결과이지만 도망가고 싶었던 과정들을 버텼기에 나중에는 능수능란하게 그 일들을 잘할 수 있게 되었다. 지금 생각해 보면 처음이고 아예 다룰 줄도 몰랐던 것들을 잘할 수 있도록 끝까지 나를 믿어준 회사에 감사할 뿐이다.

버티면 다 된다는 밈이 SNS에서도 화제였다. "버티자, 버티는 거야. 버티면 다 되는 거야! " 버틴다는 것은 참으로 힘든 일이지만 버텨야 하는 순간이 찾아왔을 때 버팀의 시간이 이 전보다 더 잘하고 싶은 시너지를 줄 수 있었으면 한다. 버티기 너무 힘든 순간을 제외하고, 버틸 수 있는 시간엔 이 악물고 버텨보자. 내 스스로 "해보는 거야"라고 다짐하면 버텨지고, 버티면 진짜 된다. 지금 당장은 아닐 수 있어도 그

버팀의 시간이 쌓이고 쌓여 큰 원동력을 만들어 준다. 그리고 그 원동력은 앞으로의 내 삶을 이끌어 줄 것이다.

멀어 보여도 가고 있다는 것.

"나는 언제쯤 피어날 수 있을까. 저 높게 뻗은 나무도 아름다운 꽃들도 자유로이 날아다니는 새들까지도 작게만 여겨지는 나의 초라한 모습과는 달리 큰 존재로 느껴진다. 또 외롭기까지 하다. 물론 아직 나는 새싹이기에 그래서 그들과 다르다는 것을 알지만, 보이는 모습이 크고 예쁜 그들의 모습과 작디작은 나의 모습이 비교되는 건 어쩔 수 없나 보다. 그래도 한 가지 소망은 있다. 나는 아직 자라는 중이라는 사실. 그 사실이 나를 버티게 한다. 어쩌면 그들보다 더 높고 아름답게 피어나 점차 숲이 될 수 있다는 소망이 나 스스로를 힘 나게 한다. 그래서 괜찮다. 작은 새싹이어도, 그래도 괜찮다. 지금 당장은 아주 작은 존재이더라도."

새싹이라는 주제로 끄적거린 어느 날의 글이다. 지금 보니 작디작은 나 자신이 누군가와 비교되어 있었던 날이었나 보다. 그래서 내 자신이 작은 새싹으로만 느껴졌고, 새싹이기에 아직 자라는 중이지만 자라는 중이라는 사실 자체를 잊고 있었던 것 같다. 원래 그런 것 같다. 잘 가고 있다 가도 한 번씩 넘어지기 마련인데, 넘어질 때마다 중심을 잃어서 본래의 자기 자신이 어떠한 사람인 지 그래서 잘 가고 있는 게 맞는 건지 의심하게 된다. 잘 가고 있었는데 나보다 더 잘 가고 있는 누군가를 보며 비교하고 그래서 초라 해진 내 모습을 발견한다. 인생에 있어서 가장 하면 안 되는 것 중 하나가 다른 사람과의 비교이다. 애초에 각자의 길은 다 다른데 어떻게 내 삶과 다른 사람의 삶을 비교해 볼 수 있는가, 서로 다른 삶을 비교한다는 것은 사실 말이 안 되는 것이다. 누군가는 누군가에게 기쁨을 주는 삶. 누군가는 누군가를 치료하는 삶. 누군가는 누군가를 가르치는 삶. 등 세상엔 이보다 더 많은 다양한 삶들이 존재한다. 그런데 어떻게 모든 삶이 똑같은 출발선에서 시작할 수 있겠는가. 연예인들의 전성기만 보아도 그 시기는 각기 다 다르다.

대표적으로 2023년 4월에 있었던 백상예술대상에서 대상을 받은 배우 박은빈 님이 생각난다. 박은빈 님은 아역배우로 시작해 데뷔한 지 26년이 흐르고 드라마 '이상한 변호사 우영우'를 통해 대상을 받았다. 일찍이 데뷔했기에 26년이라는 긴 시간이 흘렀음에도 불구하고 젊은, 아직은 어리다고 말할 수 있는 나이에 큰 상을 받게 되었다. 그러나 26년을 버틴 그가 대단함을 느낀다. 그 길을 걸어가는 도중 많은 어려움과 힘듦이 존재했을 텐데, 어떻게 자신의 길을 지키면서 갈 수 있었을까? 그가 다른 사람과 비교되었던 순간은 없었을까? 혹여 악플이나 자신을 바라보는 좋지 않은 시선은 없었을까? 물론 당연히 있었을 것이다. 감히 상상할 수 없을 정도로 많았을 수도 있다. 그러나 박은빈 님은 자신이 배우의 길을 걸어가며 멀어 보여도 계속해서 자신의 목적을 향해 걸어갔기에 자신의 때와 전성기에 그 대상을 받을 수 있었다. 그 길이 26년이라는 시간이 걸렸지만, 박은빈 님의 수상소감 중

"어릴 적 배우라는 꿈을 포기하지 않는다면 언젠가 대상을 받는 어른이 되고 싶다고 생각했다."는 것이 어쩌면 본인의 마음속 목표이지 않았을까 싶다. 그 방송을 보며 자신의 길을 묵묵히 걸어간 박은빈 님이 참으로 대단하다고 여겨지는 순간이었다.

이렇듯 각자의 삶과 그 길은 다르다. 그래서 목적도 다르다. 비교할 필요도 없고, 감히 비교해선 안 된다. 지금으로부터 4~5년 전만 해도 다른 사람과의 비교를 쉴 새 없이 했던 나였기에 더더욱 전하고 싶다. 다른 사람과 나의 길은 완전히 다르다는 사실을. 그리고 지금의 내 상태가 어떠하든 비교하지 말라고. 아직 자라고 있고, 새싹이라는 사실을 잊지 않았으면 한다. 너도나도. 그저 내 길을 묵묵히 갔으면 한다. 앞으로도. 숲이 되려면 새싹에서부터 시작되어야 한다. 새싹이 점점 자라나 나무가 되고 점차 거대한 숲이 된다. 이 모든 것에는 시간이 필요하다. 자라고 있는 게 당장은 눈에 보이지 않더라도, 내가 걸어가는 그 길이 멀게만 느껴지더라도 그래도 앞으로 가고 있다는 것을 잊지 않았으면 한다. 원래 잘하고 있을 때, 잘 가고 있는지 모른다. 그리고 이 사실을 잊는다. 못하고 있는 건 본인 스스로가 안다. 행동하지 않고 있다는 것을 알기 때문이다.

정영욱 작가님의 에세이 책 제목이 생각난다. "잘했고, 잘하고 있고, 잘될 것이다."의 책 제목처럼 충분히 잘했고, 잘하고 있다. 갈 길이 멀어 보여도 잘 가고 있으니 너무 걱정하지 않았으면 한다. 잘될 것이기에. 오늘 밤은 모든 걱정 근심 내려놓고 잘 수 있는 밤이었으면 한다. 본문에서 이야기했던 박은빈 님이 대상 수상소감에서도 말씀하셨던 드라마 이상한 변호사 우영우에서 나왔던 명대사가 있다.

"그래도 괜찮습니다. 이게 제 삶이니까요. 제 삶은 이상하고 별나지만, 가치 있고 아름답습니다."

많은 이들의 마음을 울린 대사이다. 특정한 누군가에게만 적용되는 대사가 아니다. 오늘도 여전히 자신의 길을 묵묵히 걸어가고 있는 당신과 모든 이들의 삶에 적용되는 대사이다. 당신은 아름답고 가치 있는 삶을 살아가는 중이니, 누군가의 삶과 비교하지 말고 계속해서 자신의 길을 걸어갔으면 한다. 멀어만 보이는 그 길에, 자신이 정해 둔 종착지라는 곳에 도착했을 때가 언제 일진 모르겠지만 가는 길이 마냥 외롭기만 하지 않았으면 한다. 누군가 나타나 도움을 줄 것이고 예쁜 꽃들도, 구름도, 바람도, 넓은 바다도 내가 가는 그 길을 잘 갈 수 있도록 인도해 줄 것이다. 잠깐 쉬었다 가도 되고 조금 느리게 걸어도 괜찮다. 일단 가고 있다는 것 그 자체가 잘하고 있는 거고, 잘 가고 있다.

반드시 좋은 날은 온다

뻔한 말이라고 생각할 수 있다. 누군가도 나처럼 당신에게 이 말을 분명 했을 테니, 또한 지금의 삶이 좋은 날은커녕 복잡하고 불안한 삶의 연속이기까지 하다는 것을. 내가 그랬기 때문이다. "좋은 게 좋은 거지"의 마인드 장착이 안 돼서 마냥 삐뚤어져 있기만 했던 날들도 있었다. 그렇지만 어떠한 삶이든 분명 반드시 좋은 날은 온다. 그렇게 믿는다. 지금이 좋지 않다는 것이 아니다. 지금 하는 큰 노력과 시행착오들이 그저 물거품으로만, 그냥 지나가는 바람으로만 여겨지고 느껴지는 것이 아닌 결국 좋은 쪽으로 흘러갈 수 있다는 확신의 말이다. 삶은 슬픔과 기쁨의 연속이다. 영화 "인 사이드 아웃"이 연상된다. 사람의 감정에 대한 영화이며 대표적으로 기쁨이와 슬픔이가 나오는 영화이다. 그 영화가 주는 메시지는 "기쁨만 있어서는 기쁨이 기쁨인지 모른다. 슬픔이 있어야 기쁨이 기쁨인지 알 수 있다."는 것이다. 이것과 마찬가지로 기쁘다 가도 슬프고, 슬프다 가도 기쁜 일은 다시 찾아오기 마련이다.

얼마 전, 하는 일들이 잘 해결되지 않아 힘든 일이 있었다. 예전의 나라면 이 힘듦에 주저앉아 마냥 힘들다고만 여겼을 일이다. 그러나 해결되지 않는 일에 마냥 주저앉기보단 대책을 세웠다. 그리고 세운 대책으로 다시 일을 진행하였다. 일을 진행하며 잘되었으면 좋겠다는 희망도 물론 있었지만, 그 힘듦에 주저앉고 싶지 않았다. 일단 "침착하고 다시 해보자!"라는 새로운 마음이 힘듦을 힘듦으로 받아들여지지 않게 도와줬다. 물론 과정 속 힘든 일이 아예 없었던 것은 아니지만 결과적으로 잘 진행되어 좋게 마무리되었다. 이렇게 일이 잘 풀릴 수 있었던 것은 힘듦이 있었기 때문이다. 그래서 힘듦을 통해 일이 잘되었다는 것을 알 수 있게 되었다. 만약 힘든 것이 존재하지 않고 수월하게 잘 흘러갔다면 다음에 이러한 일이 생겼을 때 같은 실수를 반복했을 수도 있었을 것이다. 게다가 힘든 것을 이겨내고 잘 된 기쁨을 느끼지 못했을 것이다.

이 일을 겪으며 삶을 되돌아보니 분명 반드시 좋은 날은 온다는 것이다. 지금껏 늘 그래왔다. 힘든 일을 마주하고 나면 언제 그랬냐는 듯 기쁘고 좋은 날이 나를 반겼다. 그렇지만 이 좋은 날을 마주하기 위해 2가지를 꼭 거쳐야 한다. 첫 번째로는 "기다림"이다. 안 좋은 일에서 좋은 일로 넘어가려면 시간이 필요하다. 갑자기 뾰로롱(효과음) 하면서 안 좋은 일이 좋은 일로 바뀔 수 있는 것은 이 세상에 아무것도 없다. 그렇기 때문에 기다림이라는 시간을 무조건 거쳐야만 이후 좋은 날을 맞이할 수 있다는 것이다. 두 번째로 거쳐야 할 것은 "마음가짐"이다. 사실 좋은 날이 다가오는 것을 믿으려면 마음가짐이 정말 중요하다. 어떠한 마음으로 힘든 시간을 보내고 있는지가 많은 것을 바꿀 수 있다. [곰돌이 푸, 행복한 일은 매일 있어] 라는 디즈니 원작 책이 있다. 유명한 책이라 에세이 좋아하는 분들이라면 아실 만한 책이다. 이 책에서 전하는 가장 큰 메시지는 "행복은 언제나 가까이 있다."이다. 정말 작고 사소한 행복들이 모여 큰 행복이 되듯, 좋은 마음가짐들이 모이면 더 좋은 마음이 될 것이다. 좋은 마음 갖는 것을 습관화한다면 어떠한 것을 바라보는 시점도 바꿀 수 있다. 뭘 하든 어떠한 일이 내 삶에 다가오든 내 마음가짐이 결과를 바꿀 수 있다. 심리학적으로 들어가 보면 합리적 정서적 상담에서는 비합리적인 생각이 부적절한 정서로 이어지고, 부적절한 정서는 결국 부적절한 행동으로 이어진다고 한다. 이처럼 좋지 않은 마음과 생각은 좋지 않은 행동으로 그리고 결과로 이어지게 만든다.

누구나 힘든 일은 찾아온다. 그리고 좋은 날도 역시나 찾아온다. 그럴 때 지나갈 것이라는 넉넉한 기다림이 필요하다. 그리고 마냥 불편한 시선으로만 힘듦을 바라보지 않았으면 한다. 그럴수록 좋은 마음가짐을 가져보는 연습을 해보자. 앞으로 삶 속에 참 다양한 상황과 환경을 마주할 텐데, 그때마다 내 마음의 상태를 점검해 보자. 해결되지 않을 것 같은 문제가 생겨도 잘 풀릴 수 있을 거라는 마음이었으면 좋겠다. 좋은 날이 언제 올 진 모르겠지만 좋은 날은 반드시 올 거라는 마음이었으면 하는 바램이다. 그것들이 점차 쌓이고 쌓여 더 좋은 나날들이 당신 앞에 다가올 것임을 믿는다. 반드시 좋은 날은 온다. 오늘도 좋은 날이 될 수 있다. 그러나 내 마음의 상태에 따라 아주 작게나마 올 수도 있고, 어쩌면 아예 오지 않을 수도 있다.

이야기를 마무리하며

아이와 어른 사이, 그사이에 계속 머물러 있어도 돼요.

이 글을 통해 독자들이 어떻게 읽었을지, 읽고 난 뒤 어떤 생각에 머물 수 있게 했는지 머릿속에 다양한 궁금증과 기대감이 남는다. 공감이 가는 부분도 있을 것이고 아직 겪어보지 않아 이해하지 못한 부분도 있을 거다. 그저 삶을 살아가며 필요한 요소들을 담아보았다. 지금보다 더 어렸을 때, 마냥 상처받고 다치기에도 시간이 모자랐던 그때 미리 알았더라면 좋았을 것들을 꾹꾹 눌러 담았다. 확실히 직접 경험하고 깨달은 지혜는 더 강한 힘이 있다. 그 힘이 아이와 어른 사이에 있는 당신들에게 전해지길 바라는 바이다. 무겁게 뭔가를 전하고 싶은 건 아니다. 아이와 어른 사이에 서 있는 많은 이들에게 살아가면서 우연한 순간들에 한 번씩 이 메시지들이 생각났으면 하는 바람이다.

나이, 학업, 직업 그게 무엇이든 그것과는 무관하게 아직 어른이 되지 않아도 괜찮다. 이 글을

읽는 독자 중 스스로 아이는 아니지만 어른이 되기엔 부족함을 느낀다면 뭘 꼭 하려고 하지 않아도 된다. 그냥 그사이에 있어도 된다. 그래도 성장해야 하는 거 아니냐는 걱정의 소리를 할 수도 있다. 그러나 재빨리 성장하면 좋겠지만, 성장은 그렇게 빨리 되는 것이 아니다. 성장은 다양한 순간들을 마주하며 단계를 밟듯 한 칸 한 칸 올라가야 성장할 수 있다. 그래서 그 성장의 길에 마냥 일침, 조언, 훈육의 말만 늘어놓는 것이 아닌 진정한 '쉼과 힘'을 주고 싶다. 지난날 뼈 있는 말이나 자신을 정신 차릴 수 있게 했지만, 그보다 진정한 위로 덕분에 성장의 길에서 한 발 더 딛고 일어설 수 있었다. 성장을 하러 가는 길이 조금은 느려도 괜찮다. 빨리 간다고 다 좋은 게 아니다. 열심히 가다 보면 어느새 성장해져 있는 나를 발견할 것이다. 그리고 알게 될 것이다. 내가 점점 어른이 되어가고 있다는 사실을.

앞서 이야기를 열며 전했던 메시지와 동일하게 이 글을 작성한 내 자신도 언제 어른이 되었다고 말할 수 있을지 정말 모르겠다. 그러나 꼭 알 필요도 없지 않나. 나이가 어리다고 마냥 아이가 아니며 나이가 많다고 어른이 되는 것도 아니다. 마냥 아이 위치에서 머물러 있으면

안 되겠지만 꼭 어른이 될 필요도 없다. 그냥 아이와 어른 그 사이에 머물러 있어도 된다. 어른이 되는 것은 어른이 되었다며 누가 정해주지 않는다. 내 스스로가 어른이라고 자칭하는 그날이 어른이 된 날이다. 가끔은 아이와 같은 순수한 모습이 필요하며, 어른과 같은 성숙함도 필요하다. 아이와 어른의 사이. 그 균형만 잘 맞춘다면 그사이에 머물러 있어도 정말 괜찮다.

비하인드 스토리로 풀어보자면 본론에서 다뤘던 이야기 중 정확한 스토리로 풀어내지 않고 "어떤 일을 하면서", "어떤 일로 힘들었는데" 등의 이야기로 글을 이어 나갔다. 정확한 어떤 스토리로 예시를 들기보단 포괄적으로 폭넓게 이야기를 전하고 싶었다. 우리 각자의 상황과 환경이 다 다르기 때문에 어떠한 일이라고 말을 전하게 된다면 본인의 상황과 개개인의 다른 환경에 대입해서 읽어볼 수 있지 않을까 싶어 정확한 스토리로 풀어내지 않은 점도 있다. 본문의 이야기들은 나 스스로가 경험한 바를 토대로 썼지만 지금도 역시나 부족한 나에게 해주고 싶은 말이기도 하다. 어쩌면 당연한 이야기들을 글로나마 전할 수 있음에 감사할 뿐이다.

아이와 어른 그 사이에 머물러 있는 당신에게 전한다.
그사이에 계속 머물러 있어도 된다고, 정말 괜찮다고.

"잘 살려고 발버둥 치고 있다는 사실이

더 나은 삶으로 가고 있다는 것을
어른이 되어가고 있는 모든 이들이 알았으면 한다."

"나를 사랑하면 그 어떠한 것도 사랑할 수 있다.
그저 사랑이 당신의 삶에 존재했으면 한다."

"꽃은 날 좋은 봄, 가을에만 피는 것이 아니다.
추운 겨울에도 여전히 꽃은 핀다.

"괜찮다. 어차피 이번 생은 우리 모두 처음이니까."

"혹시 지금 힘듦이라는 무게가 스스로를 짓누르고 있다면,
그렇게 느껴진다면 쉼을 가졌으면 좋겠다.
어쩌면 쉼이 필요해서 그럴 수도 있다."

"넘어진 그곳에는 위로가 있다.
그리고 그 위로는 다시 일어설 수 있도록 삶을 이끌어 준다."

"버틴 시간은 결코 후회로 남지 않는다.
버텼는데도 결과가 좋지 않다면 분명 이유가 있을 것이다.
당장은 아니더라도 나중 언젠가 꼭 보상받을 것이다."

"그렇게 계속하니까 잘하고 싶었고 잘하고 싶은 마음이
어느새 잘하고 있는 나를 발견 했다."

"내 스스로 "해보는 거야"라고 다짐하면 버텨지고,
버티면 진짜 된다."

"숲이 되려면 새싹에서부터 시작되어야 한다.
새싹이 점점 자라나 나무가 되고
점차 거대한 숲이 된다. 자라고 있는 게
당장은 눈에 보이지 않더라도,
내가 걸어가는 그 길이 멀게만 느껴지더라도
그래도 앞으로 가고 있다는 것을 잊지 않았으면 한다."

"모두의 제각기 생김새, 나이, 하는 일, 가치관 등
많은 게 다른 우리지만 그것과는 무관하게도
좋은 어른이 되겠다는 마음 하나만은 동일할 테니까."

– 본문 이야기 中 –

예술적으로 바라보기

이성모

이성모 36년 째 과자 '바나나킥'을 좋아한다. 29년 째 가수 김정민의 팬이며, 22년 째 가수 박혜경의 팬이다. 17년 째 공연과 행사를 기획하고 연출하며 먹고살고 있다. 12년째 농구선수 김단비의 열성팬이며, 5년 째 아이스하키에 푹 빠져 헤어나오지 못하고 있다. 이런 내가, 얼마나 오랫동안 갈 수 있을지 도무지 모르겠는 작가로서의 첫 걸음을 간다. 왜냐면. 후회하지 않으려고.

instagram: @iseongmo3

마구 뛰어 세차게 횡단보도를 건너 손을 연신 흔들었다.

'아 저거 놓치면 30분 기다리는데'

대체 왜 저 버스는 스마트폰에 위치표기가 안 되는 건지. 요즘이 어떤 세상인데 말이야. 아무튼 이놈의 1301번. 요즘 버스답지 않다. 그렇게 갔다. 그냥. 버스가.

살짝 허탈하여 도로를 등지고 정류장 의자에 앉아 옆벽에 기대니 테이크아웃 전문 카페가 보였다. 그 카페 창가 안 (누가 봐도 앳된) 한 학생도 함께. 뚱한 표정으로 벽에 기대어 무심하게 스마트폰만 들여다보고 있다. 손님이 없으면 가게 안팎 주변 청소를 하거나 미리 재료 손질을 해놓거나 할 수도 있을 텐데. 2~30분마다 한 번씩 오는 1301번 버스를 기다리는 동안 그 카페에는 단 한 명의 손님도 없었으며 그러므로 그녀도 단 한 번의 움직임이 없이 동일한 자세로 있었다. 마네킹처럼.

키오스크로 커피를 주문하고 나서 그 커피를 받을 때가 되어서야 이 학생의 목소리를 들을 수 있었다. 그 학생이 얘기해야 할 만한 모든 걸이 기계가 대신 다 물어봐 주기 때문이다.

그 학생은 아까 내가 처음 그녀를 처음 보았을 때의 그 뚱한 표정으로 말했다.

"빨대 챙겨드릴까요?"

"아니요. 저 빨대 안 써요"

하자

"우와. 환경오염을 생각하시는구나. 맞아요 맞아요, 이거 쓰지 말아야 돼요. 사실 컵에 입대고 마시는 게 커피 향도 살짝 음미하면서 먹게 되고 더 좋아요. 아아도 커피 향이 충분히 나거든요."

얘기가 무척이나 하고 싶었나 보다 싶었다. 난 그저 '빨대를 쓰지 않겠다'는 딱 한 마디를 했을 뿐인데. 길지만 전혀 밉지 않았던 그녀의 이 얘기로 이 학생이 달라 보였다. 얘기를 들으며 내가 살짝 둘러본 그 가게 안은 깨끗했고, 그 학생의 주변도 깔끔했다. 싱크대도. 커피 머신기 주변도. 하다못해 커피를 주고받는 중간 창의 틀 사이까지 먼지 한 톨이 없었다.

그래. 아무리 아르바이트 학생이라지만 사장도 아닌 저 친구가 왜 내내 일만 하고 있어야 하지? 새벽부터 일찌감치 와서 자신이 해야 할 모든 일들을 완벽히 해놓고 아깐 잠시 쉬고 있었던 거네. 대학생인 것 같은데 이렇게 아침부터 일찍 와서 일하다가 오후엔 학교에 가겠지. 대단하다. 하루를 어떻게 쪼개서 사는 거야. 나도 저 나이 때 저렇게 살았나. 그러고 보니 그제야 계산대 앞 그 학생의 것으로 보이는 책이 눈에 띄었다. 공학책 같았는데 시간표 같은 게 붙어있었다. 그리고 과목명들 아래로 똑같은 글자들이 채워진 게 내 눈에 들어왔다.

'알바', '알바', '알바', '알바'…

한 개만 먹은 편의점 삶은 계란과 흰 우유. 저절로 아침을 때운 건가. 그녀의 시간과 씀씀이와 남모를 노력과 이 가게에서의 헌신을 시작으로 '요즘 대학생들의 삶'에서부터 '우리 사회가 청년을 바라보는 시각'까지 생각이 뻗치려는데 멈춰졌다. 생각이 멈춘 건 아까 나를 멈춰 세운 쟤다, 1301번 버스.

'가만히 바라보고 있으면, 유심히 바라보고 있으면, 그의 또는 그녀의 또는 그것의 삶과 역사를 생각하며 바라보면 보이지 않던 것이 보인다.' 미술관에 가면 우리는 흔히 이런 눈과 귀, 마음으로 미술 작품들을 본다. 그것은 유형의 것이나 살아있지 않아서 도저히 우리에게 적극적으로 와주지 않으니 우리가 움직일 수밖에. 난 이렇게 그를, 그녀를 또는 그것을 바라보는 걸 '예술적으로 바라본다.'라고 표현하고자 한다. 보이지 않는 걸 보게 만들어준 이 표현을 생활화하면 실로 새로운 세상이 펼쳐질 수 있을지도 모른다고, 난 그렇게 믿는다.

예술적으로 바라본 내 주변, 그리고 내가 느낀 그들과 그것들에 대한 역사와 가치를 아래의 글들을 통해 내 머리와 마음속, 이 우주에 기록해놓고자 한다.

첫 번째 기록 : 내가 바라본 그것

딱딱한 데, 투박한 데, 수십 년이 흘렀는데 아직도 잘만 돌아간다. 일본 사람들이 기계를 참 섬세하고 튼튼하게 잘 만드는 것 같다는 생각이 드는군. 가만히 보다 보니 80년대 후반에 나온 각그랜저처럼 뭔가 마니아적이라는 느낌이 들기도.

가만히 보고 있자니 저것의 일반적인 역사가 떠오르지 않을 리 없다. 그 역사는 어딘가에 기록, 소장되어 있지 않으나 그 탄생이 너무나 강렬했기에 내 기억 속에서만큼은 선명하다.

저게 온전히 내 소유가 되는 데는 상당한 시간이 걸렸다. 내가 중학교 2학년 때였으니까...

14살, 그러니까 29년 전, 당시 나에겐 사치가 아닌가 싶은 생각도 사실 했었다. 당시 20만 원짜리 장난감은 아주 비싼 고가의 장난감임에는 틀림없었다. 난 당당하게 600명 중 전교 267등 성적표를 아버지에게 들고 가 올해에 꼭 전교 100등 안에 들어갈 테니 '일단은 사 달라.'고 나름 합리적인 제안을 했다. 아버지는 일언반구 없이 '노', 그렇게 갖고 싶다면, '일단 사 줄 테니 한 달 용돈의 반—당시 한 달에 용돈 2만 원의 반, 즉 1만 원—을 20개월간 포기하라. 단, 만약 100등 안에 든다면 드는 순간 용돈은 정상 회복되며, 이후 100등 밖으로 다시 밀려나면 그날로 용돈의 50% 차감 정책은 부활된다.'는. 실로 사용자가 노동자와 임금을 협상하듯 그렇게 대화를 주도해 나가셨다.

그렇게 얻었으니 애틋하고 소중할 수밖에. 그래서 당시 진짜 열심히 공부했다. 긴축재정이 길어질수록 내 현실이 피폐해져 가고 있음을 느꼈기 때문이다. 그 나이임에도 난 가난에서 탈피하고 싶었다. 결국 약 10개월 후, 즉 두 번의 시험을 거쳐 정상화된 수준의 임금, 아니 용돈을 받을 수 있긴 했다. 비할 바는 아니지만 아이를 낳는 심정이란 게 이런 건가 생각하기도 했다. 또 지금에 비한다면 아파트 담보대출을 다 갚은 사람들의 기분이 어떤지를 아주 조금은 안다고 말하고 싶다.

그 기계는 늘 내 옆에 있었다. 내가 혼자 함박웃음 지을 때도 게임이 잘되지 않아 아무도 없는 빈집에서 시원하게 눈치 보지 않고 욕을 내뱉을 때도 내 옆에 있었다. 가장 친한 친구들의 방문으로 같이 게임하며 방을 뒹굴며 깔깔댔던 그 시간들, 그 순간들. 그런데 영원했으면 했던 그 시간들은 군에서의 행군 간 주어지는 '잠깐의 건빵타임'처럼 순식간에 스쳐 갔다.

곧 고등학생이 되어 아침에 일찍 학교에 가서 야간자율학습을 하고 학원을 들러 집에 오면 씻고 자기 바빴고, 대학 때는 고등학교 때보다 더 스펙터클한 생활들로 바빴다. 그러고는 군대로, 전역 후엔 직장 생활로 점점 소중한 그것은 내 우선순위에서 밀려났다.

자식들을 모두 출가시키신 부모님께서 조금 작은 집으로의 이사를 위해 짐을 정리하시는 날, 어머니는 잠깐 '집엘 좀 들르라'고 하셨고 내가 집에 도착했을 때 과일이 가득 담긴 접시와 함께 그것이 담긴 구두 브랜드 '랜드로버' 쇼핑백을 내어놓으셨다.

"네가 저거 하면서 티비 앞에서 날뛰고 신경질 내고 웃고 떠들던 게 생각이 나서 버릴 수가 없더라. 오래돼서 아마 고장 났을 거야. 그치?

그냥 버릴까? 요즘에 뭐 이런 걸 가지고 놀고 그럴 나이도 아니고 옛날 기계라.."

"아녜요. 제가 가져갈게요"

"뭐 하려고? 옛날 거라 어디다 내다 팔지도 못할 것 같은데.."

"그냥요~"

집에 왔다. 먼지가 쌓인 기계와 선들을 하나하나 물티슈로 닦고, 게임 CD가 들어가는 곳을

훅 하고 불었다. 렌즈 쪽이 뽀얗게 변해 카메라 청소 솔로 살살 닦아주기도 했다.

'이제 한번 켜볼까...? 되려나...?'

지난 3월 봄, 몇십 년 전 내가 나온 고등학교 앞 할머니 떡볶이집. 시간이 지나 할머니의 딸에 이어, 그 딸의 딸, 즉 할머니의 손녀가 그 떡볶이집을 이어가고 있다는 이야기를 듣고 나서 부리나케 차를 몰았다. 떡볶이 한 접시를 시킨 후 내 앞에 온 떡볶이. 포크로 그 길쭉한 밀떡을 하나 찔러 입에 넣으려는, 입에 들어가기 전 바로 그 순간! 그때의 그 기분 비슷했다.

기계에 전원을 연결하자 노란 불이 들어왔다. 장비에 문제가 없다는 뜻이다. 심장이 두근거리는 소리가 내 귀에 들렸다. 하루에 한 시간이라는 당시 얼마 주어지지 않았던 사용 시간. 일명 '아부지대출'을 통해 구매해 근저당이 있긴 하나 온전히 내 소유의 내 물건인데 내 물건의 사용을 다른 이에게 허락을 받는다는 게 어이가 없기도 했다. 그러면서도 그 한 시간이 소중해 매번 두근거리며 잭을 연결하는 그 순간

에는 무언가 설명하기 어려운 벅차오름이 있었다. 그런 마음들이 온전히 카피되어 내 눈빛은 중학교 2학년의 바로 그때 그 눈빛이 되었다. 그 눈빛으로 바라보는 지금의 내 TV. 천천히 TV모니터를 돌려 잭을 연결하면 난 당시 나를 흥분시켰던 그 게임들을 할 수 있다. 이 잭만 꽂으면. 잭을 꽂을 수 있는 포트가 보인다. 잭을 꽂아야지 하며 잭을 꽂으려는데! 아! 이런… 잭 타입이 맞지 않는다. 난 왼손에 노란색, 빨간색, 흰색 라인이 한데 모여진 두꺼운 줄을 들고 있고, TV의 모니터에는 HDMI라고 쓰여있는 포트들 밖에 없었다는…아! 시발…

내 심장에는 이미 불이 붙었다. 그 누구도 날 멈추지 못한다. 아직도 그때를 생각하면 내가 왜 그랬을까 싶다. 그냥 TV의 뒷부분과 잭을 폰카로 찍어 전파사 같은 곳에 갔으면 될 일이다. 난 그게 뭐 그리 대단한 사고라고, 그 기계와 내 TV를 떼어 양팔에 끼우고 차에 실어 집 앞 '일렉트로 마트'라는 곳까지 간 건지. 지금 생각해도 대체 이해가 되지 않는다. 거기서 난 원치 않게 일약 스타가 되었다. 직원들이 너도나도 모여 그 기계를 신기하게 쳐다봤다. 만져도 되냐고 묻는 직원은 이미 내 기계를 만지고 있다. 사진 찍어도 되냐는 직원은 이미 폰카로 기계를 지향했다.

'나랑 당근 안 할래?'

'당근하면 얼마에 줄래?'

이 질문은 내게 이렇게 들렸다. '혹시 당신 아들 저한테 파실래요?'

'이게 지금 그래서 정상적으로 작동이 되긴 하냐'

'우리가 일단 되는지 안 되는지 한 번 테스트를 해보겠다.'

단언컨대 난 이렇다 저렇다 단 한마디도 하지 않았다. 그리고 20분이 지났을 땐 자기들이 신나서 내가 구매하지도 않은 연결 케이블과 젠더를 뜯어서 축구게임을 하고 있었다. 다른 직원들도 모여 팔짱을 끼고 구경을 했고. 난 또 그걸 '자기 아들의 축구시합 구경 온 인파들을 흐뭇하게 바라보는 마치 손흥민의 아버지 손웅정 씨'처럼 흐뭇하게 이 상황을 즐기며 바라봤다.

"(고) 유상철이 몸싸움이 진짜 좋아요"

"황선홍이 주전입니다."

하면서,

난 그날 집에 들어올 때 연결 케이블과 젠더를 들고 있었는데 결제를 한 기억이 없다. 그냥 줬나 보다. 아니면 추억 돋게 만들어 준 나를 향한 그들의 선물인지도.

기계를 멍하니 바라보면서 이런 혼잣말을 뱉었다.

"한 30년? 난 이렇게 변했는데 넌 어떻게 그대로냐... 부럽다야"

기계 따위에게 부러움을 느끼다니.

예술적으로 바라보면 보이지 않던 것이 보인다. 실로 그것들을 중심으로 모여들었던 추억들이 기계 위로 솟구쳐 올랐다. 누가 먼저랄 것도 없이 학교가 끝나면 친구들은 '당연히' 우리 집 으로 모여들었다. 어떤 규칙을 정하지도 않았는데 최대 2인이 할 수 있는 게임을 여러 명이 공평하게 나눠서 공평하게 게임했다.

그래. 그때 우린 '공평'하게 나눴다. 친구가 조금 더 해도 괜찮았고, 좀 덜 한 친구가 있으면 기꺼이 서로 양보했다. 게임을 안 할 때는 서로가 어떻게 하는지 지켜보면서 응원도 해줬다. 특별히 나보다 게임을 잘하는 친구가 부러웠으나 밉지 않았고, 나보다 못하는 친구를 놀려댔었지만 그 친구를 무시하지 않았었다. 그러면서 우리 엄마가 만들어준 계란 물 묻힌 식빵 토스트나 양이 엄청 많아서 우리 엄마가 나와 친구들을 위해 즐겨 사두셨던 양파링 과자를 먹었다. 게임만 양보한 게 아니라 그 토스트도, 그 양파링도 게임처럼 우린 그렇게 즐겼다.

지금의 나는 어떻게 변했지. 난 지금 그렇게 너그럽게 살고 있나. 매번 경쟁이지 않았나. 그 경쟁 속에서 뒤처지지 않으려고 나답지 않은 결정과 선택들을 해 오지 않았나.

'내가 한 번이라도 더 할래.'

'내가 더 먹진 못해도 너보다 덜먹게 되는 건 참을 수 없지.'

아...... 그래. 나 이렇게 살아왔어. 진짜 멋스럽지 못하게 변했다.

그 어떤 고생을 했더라도 잠시 그것과의 시간을 가지고 나면 머릿속도 가벼워지고, 웃고, 즐거웠었는데 지금의 나는 어떻게 변했지. 다음 날 머리가 아플 때까지는 소맥을 말아 마셔줘야 '아! 스트레스가 좀 풀린 것 같아' 싶다. 비싼 돈을 들여 저 멀리 외국의 해안가를 바라보며 평소 매운 걸 싫어하면서도 '칠리크랩'을 먹어줘야 '아! 나 좀 즐거운 것 같아' 싶고...

그냥 나이만 먹고 가만히 어른만 되었어도 본전인데 난 나이를 어떻게 먹어가야 하는지의 방향감각을 잃은 채 이리 치이고 저리 치여온 것 같아 혼란스러웠다. 내가 아닌 남의 시선을 의식하며, 내가 세운 기준이 아닌 남이 만들어놓은 기준에 맞춰서 그렇게 한정된 소중한 내 시간을 보내온 거울 속의 내가 보였다. 불쌍한 새끼.

그때 함께 게임을 하며 놀던 친구들이 떠올랐다. 그들의 목소리와 웃음소리가 귓가에 들리는 듯했다.

'건축학과에 들어갔던 재영이는 잘 있나.'

'기범이는 파일럿이 되겠다고 미국에 갔다고 들었었는데, 꿈은 이뤘을까.'

'우현이는 진짜 이 농구게임을 잘했는데, 또 진짜 실제로 농구를 잘했어.'

'선주가 이 게임을 지고 나서 벌칙으로 탕수육과 짜장면을 사줬었는데.. 훔쳐 나온 엄마의 카드로',

'성태는 지금 즈음 무얼 하고 있을까. 그때 진짜 남자답게 잘생겼었는데.'

친구들이 궁금했다. 그 친구들도 변했겠지? 나처럼 멋없이 철없이 변하지 않고 다들 멋있는 그리고 좋은 성인들이 되어있겠지?

문득 기계에게 고마웠다. 욕심 없이 순수했던 그때의 그 시절 나 자신을 만날 수 있게 해줘서. 실패한 삶, 고장 난 삶은 없다고 믿기에 '어떻게 고쳐야지?'라는 걱정은 하지 않을 테지만. 그렇지만, 그래도 '너무 한 쪽으로 왔네. 이제 당분간은 반대 방향으로 좀 가봐야지.' 하며 깨달을 수 있었던 이유는 그것, 나에게 무척이나 소중했던, 내 보물이었던 그것, '플레이 스테이션1'이라는 게임기를 예술적으로 바라본 덕분이다. 예전의 그때로 돌아갈 순 없지만 더 멀어지지는 않게.

약 이십 년 만에 그 친구들에게 동시에 단체 문자를 보냈다. 이름을 검색해 문자를 보내는데 이런... 016도 있고, 011도 있다. 이렇게나 시간이 흘렀구나. 그렇지만 그냥 그 번호를 그대로 선택해서 문자를 보냈다.

'플레이스테이션 하게 모여!'

20분 후쯤에 답 문자가 왔다.

'그래! 양파링은 내가 사 갈게!'

눈물이 왈칵 났다.

고마워.

'첫 번째 기록'을 쓰게 만든 사진 한 컷

두 번째 기록 : 내가 바라본 그것2

모든 남자들에게는 세 가지 로망이 있다. 아니 아마 있을걸?

모든 남자는 '플래쉬'처럼 빠르고 싶다. 이 말에 부정하는 자 그만 읽어라.

모든 남자는 마동석까지는 아닐 것이나, 권상우 정도로는 '벌크업' 되고 싶다. 부정하는 자 진짜 그만 읽어라.

또한 모든 남자는 긴 무언가를 휘두르며 전진하고 싶다. 과거 중세시대의 긴 창이 멋있고, 조선시대 이순신이 한쪽에 찬 긴 검이 멋있다. 군 생활은 싫어도 군 시절 쐈던 K-2 소총을 멘 자신의 모습은 멋있다고 느꼈을 것이다, 90년대 인기 드라마 '모래시계' 속 여주인공 고현정을 지키던 '재희(당시 배우 이정재가 연기했었다.)'가 휘두르던 죽도! 멋있다.

마지막으로 이야기하는데 위 세 가지 중 단 한 가지라도 부정한다면 그만 읽어라. 아래의 내용이 공감되지 않을 수도 있기에.

이런 남자의 로망 세 가지의 특성을 모두 다 가지고 있는 콘텐츠는 이 세상에 흔치 않다. 아니 아마 이것밖에 없을걸? 2018년 겨울, 겨우 4개월 남짓 시작한 이 운동 후 라커룸에서 나이 38이나 처먹은 늙은 아이가 울고 있었다. 어떤 나이 지긋하신 어르신이 물으셨지.

'어?! 왜 그래? 무슨 일 있어? 왜 울어?'

그 아이는 대답했다.

'너무 재밌어서요. 이걸 제가 왜 이제야 시작했을까요? 너무 억울하고 분합니다.'라고.

'자네가 몇 살이지?' 질문에 그가 '네. 저는 서른여덟입니다.' 하자. '울지 마. 아직 22년은 더 할 수 있어. 왜냐면 내가 60살이거든' 하셨다.

어렸을 때부터 지극히 '감성충'이었던 나는 활발한 척 친구들과 어울렸으나 사실 난 혼자 있는 게 좋았다. 그래서 사색과 상상의 시간이 많았고, 혼자 음악 듣고, 혼자 책 보고, 혼자 걷고,... 그래서 난 늘 혼자였고, 그래서 사실은 나 외로웠다. 술자리를 좋아하지 않는 내가 마흔이 넘도록, 괴로울 때 편히 부를 '쏘주 한 잔 같이 마실 친구'도 없다는 게 서글펐다.

그런 나에게 그것으로 인해 활력이 생겼다. 나를 플래쉬로, 그리고 벌크업된 멋진 몸매로, 그리고 긴 창을 휘두르는 전사로 만들어준 이 스포츠. 무엇보다도 누군가 나에게 '네가 필요하다.'고 말해 준 뜨거운 스포츠.

2016년 말할 수 없는 나의 어떤 실수로 내가 속한 업계에서 밀려난 후 화풀이하듯, 도망치듯, 아니 원망하듯 입사한 어느 회사. 그 회사에서마저도 사람에게, 상사에게, 조직에게 상처를 받은 것이 쌓여 짐짓 바보 같은 생각을 하는 내게, 오랫동안 다녀 나에 대해 많은 걸 알고 계신 한 의사선생님이 말했다.

"죽을 땐 죽더라도 가만히 생각해 보고 나서 신중히 결정해서 죽어라. '내가 하고 싶은 건 다 해봤나?', '죽어도 여한이 없는가?', '할 수 있는데 미뤄놓고 아직 못한 건 없나', '있다면 시도는 해보았는가?',

죽는 순간, '아..시발 이거 하나는 해보고 죽을걸' 하는 후회될 만한 건 없는가. 꼭 한번 생각해 봐. 그리고 그걸 적어 봐. 그런 거 없다, 난 다 해봤다, 적을 게 없다! 싶으면 뭐. 죽어도 괜찮지. 잘~ 살았던 거니까."

하나씩 적어보는데, 찾아보니 어쭈 이거 봐라. 한두 개가 아니네. 조급해졌다. 그래도 이건 해보고 죽자. 난 그중 가장 높은 곳 1위에 적었던 다섯 글자. 그것에 집중했다.

'아이스하키'

'아이스하키 동호회'라고 녹색창에 검색하고 검색되는 여러 카페, 블로그의 지기에게 무작정 메모를 적어 보냈다.

'죽기 전에 꼭 해보고 싶은 운동입니다. 스케이트도 탈 줄 모르고, 경기 규칙도 모릅니다. 그래도 괜찮다면 가입해서 좀 해보고 싶습니다. 받아주실 수 있으시면 연락 한 번만 주세요.

010-5232-45XX'

여러 팀 중 가장 먼저 목동아이스링크에서 운동하는 한 동호회의 리더(지금의 팀, 캡틴)에게 연락이 왔다.

'장비는 있느냐?'

'평소에 운동을 좀 했느냐?'

'가장 중요한 부분인데, 차가 있느냐?'

등등 이런저런 문자를 주고받았었다. 차가 있냐고? 경제력을 보며 팀원을 구하는 건가... 살짝 궁금해지는데, 이런 내용들도 모니터 한 귀퉁이에 보였다.

'돈이 많이 드는 귀족 스포츠, 그에 반해 크게 다칠 수 있는 스포츠'

크게 다친다... 뭐 철없이 죽기를 각오했던 적도 있는데 다치는 게 대수냐.

난 답 문자를 보냈다.

'장비? 사겠다. 중고? 중고 싫다. 나 새걸로 사겠다.'

'어렸을 때 수영선수했었다. 나 힘든 운동 자신 있다.'

'차 있다! 두 대 있다!'

약 5년 후 지금.

지난주 아이스하키 동호인 연합회에서 주최하는 아이스하키 대회에서 우리 팀은 우리가 속한 디비전에서 준우승을 했다. 언제인가 꽤 자극적인 포스터의 문구를 본 기억이 있다. 어르신들의 사랑에 대해 다룬 영화, 제목 〈죽어도 좋아〉, 난 이 '죽어도 좋다'는 감정을 이 운동을 하며 꽤 여러 차례 느꼈다. 운동을 마치고 헉헉대며 빙판에 누워서는.

'아.. 너무 행복해. 나 이대로 죽어도 좋아!'를 혼자 되뇐 적이 많다. 그런데 '죽어도 좋다'는 생각을 하면 할수록 이 벅찬 감동을 지속적으로 바라는 인간의 이기적인 본성 때문인 건지 내 인생의 계단은 죽음보다는 삶 쪽으로 더 내리막이 열렸다.

그저 빙판 위에서 스케이트를 타며 축구처럼 상대방의 골대에 퍽을 넣는 것이 전부인 것처럼 보일 수도 있다. 그냥 보면 그렇다. 그런데 그걸 예술적으로 바라보면 실로 보이지 않던 것이 보인다.

아기가 바닥을 기어다니다가 몸을 일으켜 걷기 시작할 때, 그때 당시의 자신의 감정을 기억하는 사람이 있을 수 있나? 보통 11개월에서 16개월 사이에 걷는다는 기사를 본 적이 있다. 즉, 인간은 자신의 11~16개월 사이를 기억할 수 있는가. 불가능하지 않나?

2018년 8월 10일은 아마 나의 생에 두 번째 11개월 ~ 16개월 사이 어딘가였을 것이다. 아이스하키를 처음 시작한 그날, 난 장비 착용만 했을 뿐인데 온몸이 땀으로 젖었었더랬다. 그냥 서있는 것도 힘들어 계속 앉았다가 일어서부기를 반복했었다. 발은 또 왜 그렇게 아픈지. 근데 팀 부주장이시라는 고민재 형님이 따라오란다. 라커를 나와 복도를 따라 몇 걸음 따라가는데 한쪽으로 휙 방향을 틀어 꺾으신 후 사라지셨다. 난 그 자리에 멈춰 섰다. 사라지신 벽에서 얼굴만 뽕! 튀어나오셔서는 자신을 따라서 계단을 내려오라신다.

"저... 어딜 가는 거예요??"

"뭘 어딜 가요. 링크로 가야죠~"

"저 오늘 첫날인데요?"

"그럼 뭐 첫날이라고 락커에 그냥 앉아있을 거예요?"

"무... 무서운데요"

"제가요??"

"아뇨. 이거(스케이트) 신고 계단 내려가는 거요"

"......"

둘 중 하나다. 욕이 나오거나, 화를 내시거나. 잠시 고민하시는 듯하더니.

"옆에 계단 손잡이 잘 잡고 천천히 내려와 봐요. 보고 있을 테니까."

지하 2층까지 계단을 내려가는데 계단이 왜 이렇게 많은지... 욕이

나왔다. 그리고 부축 좀 해주지. 거 참 진짜로 눈으로 봐주시기만 하시고 잡아주시진 않으신다. 나쁜 사람.

그냥 땅도 두려운데 얼음판으로 들어오라 하신다.

'아 돌겠다...'

생각하고 있는데 잘생긴, 그리고 무척이나 어려 보이는 코치라는 분이 내게 와 '힘들면 얼음 바닥에 앉으라'고 했다. 그리고는 그 코치님이 해주신 딱 한마디 말씀에 무언가 뜨겁게 목구멍으로 차오르면서 이내 마음이 편안해졌다. 당시의 난 수세에 몰려있었다고 봐도 무방하다. 낭떠러지 앞이나 다름이 없는 상태다. '이래 죽으나 저래 죽으나' 였던 거다. 두려운 상태에서 집중하면 단순해지고 그러므로 결정이 쉽다. '무조건 이 사람이 시키는 대로 하자'

그가 해준 멘트는 이랬다.

"괜찮습니다. 저만 잘 따라 하시면 됩니다. 그러면 절대 안 다치십니다. 저만 따라오십시오."

'자기를... 따라오라고?'

당시 내 나이 37일 때다. 이 나이까지 살아오면서 저런 멘트를 언제 들었었나 하는 생각이 들었다. 사실은 평소에 잘 듣기 힘든 멘트잖아. 그렇잖아.

'나만 따라와. 그러면 넌 살(할) 수 있어.'

마치 총알이 날아오는 전쟁통 안. 절실히 살고 싶은 미약하고 연약한 내 앞에, 날아오는 총알을 한 알, 한 알 눈으로 보며 피할 것 같은 어벤져스가 나타나 자신의 뒤만 잘 쫓아오라는 손짓을 하는 듯했다. 첫날 이후 주변 모든 이들이 내게 어벤져스였다. 감사하게도 누구 하나 날 외롭게 놔두지 않았다. 어떤 영웅은 조금이라도 덜 아프게 넘어지는 방법을 가르쳐 줬고, 또 다른 영웅은 내게 '넘어질 땐 손으로 바닥을 딛지 말고 차라리 팔목으로 링크를 찍으며 넘어져라.'며 내 몸을 지키는 방법을 일러줬다.

아장아장 걸음마부터 시작해 걷다가 뛰고, 뛰다가 급격히 멈추는 과정까지 걸리는 시간이 최소 3~4개월은 걸렸던 것 같다. 어렸을 적 부모님 혼자 오롯이 감내해야 했던 걸음마. 그러나 생에 두 번째로 만나게 된 '제2의 걸음마' 때는 내 주변 수많은 어벤져스들 때문에 결코 외롭지 않았다. 누군가의 보살핌과 가르침을 받으면서 차근차근 성장해가는 내 모습을 볼 때면 모든 일들이 지금 내가 하는 이 운동 같았으면 좋겠다는 생각도 들었다.

뜨겁게 이 운동을 하다 보니 크게 달라진 점 또 하나. 예술적으로 보지 않으면 보이지 않는 것! 사시사철 할 수 있는 이 스포츠는 장비가 워낙 크고 무거워 차량이 없으면 운동을 할 수가 없다. 쌀가마니 무게만큼 짊어지고 집과 링크를 버스로 왕복할 수는 없으니까. 차량으로 이동해야 하다 보니 '술'에서 점점 멀어지는 나를 봤다. 즉, 이 운동을 하려면 술을 마실 수가 없다. 또 보통 저녁~야간에 하는 운동이니만큼 과식을 할 수도 없다. 배부르게 저녁을 먹으면 (너무 과격하고 체력을 많이 쓰는 이 운동의 특성 때문에) 토가 나올까 두려울 정도니까. 그만큼 이 스포츠의 이면에 보이지 않는 긍정 효과들은 진정 내 삶에 좋게 영향미치는 그야말로 덤이다.

점점 더 높아지는 이 스포츠에 대한 열정과 욕구는 나를 더 활력 있게 한다. 그저 그냥 힘든 운동이 아닌, 내가 밑바닥의 정서를 헤매고 있을 때 나를 건전하게 바로 세워 준 스포츠. 누구에게든 자신에게 이런 영향을 준 누군가가 또는 무엇인가가 있을 것이다. 없다면 주변에서 꼭 찾아서 그쪽으로 한 걸음씩 접근을 시도하고 결국 직접 접촉하길 진정 바라고 응원한다.

그것을 예술적으로 바라보면서!

즉, 그냥은 보이지 않는 그 힘과 매력들을 마음껏 상상하면서!

'두 번째 기록'을 쓰게 만든 사진 한 컷

세 번째 기록 : 내가 바라본 그녀

탤런트 양희경을 닮았다. 멀리서 그녀가 웃는 모습을 볼 때면 진짜 양희경 씨와 비슷하다. 그녀는 늘 부정하지만.

또 말투는 양희경의 언니 양희은을 닮았다. 뭔가 단호하고 때론 점잖이, 그러다가 웃을 땐 '호탕하다'는 표현에 어울리게 껄껄 웃으신다.

그러니까 사실, 즉, 현재는, 미스코리아 몸매의 '가녀린 그녀'와는 거리가 좀 있다. 난 나름 운동선수 출신이다. 초등학교 시절 수영선수를 했었는데, 그럼에도 그녀에게 팔씨름을 이기려면 정말 꽤 많은 힘을 모아야 했다. 늘 씻기 싫어 도망 다니던 블랙 슈나우저 '탄이'를 쥐포로 유혹한 후 강한 어깨와 팔 힘을 써서 한 손으로 아이를 부여잡아 강아지 샴푸를 풀어 벅벅 씻기던 그녀. 양희경과 양희은을 닮은 그녀. 그러나 10살이 넘어 무지개다리를 건너는 탄이의 마지막 날, 그녀는 그녀석이 마지막 가는 모습을 끝내, 차마 보지 못했다. 그리고는 '다시는 강아지를 키우지 못하겠다.'하셨다. 겉모습만 양희은, 양희경일 뿐 그녀의 속내는 사실 아이유만큼 여렸다.

커서 뭘 해야 하는지를 세차게 고민하는 시기인 내 대학 시절, 거실에 앉아 이런저런 자격증 정보지와 몇몇 기업의 입사시험 기출문제, 면접 문제 출력물들을 번갈아 보고 있는데, 그녀가 호기심이 가득한 눈으로 출력물들을 바라보았다.

그녀 : "이게 다 뭐래? 아유 복잡해! 보기만 해도 눈이 도네!"

나 : "내가 정작 하고 싶은 일엔 이런 게 필요 없는 거 같은데 다들

이걸 사더라구."

그녀 : "네가 하고 싶은 게 뭔데? 그럼 그냥 그걸 해"

나 : "내 꿈은......"

그러다가 나도 그녀에게 무심결에 물었다. 정말 아무생각 없이.

'꿈이 뭐였어?'라고.

늘 하루의 시작을 남편의 아침식사 준비와 와이셔츠 다림질로 시작하는 반복적인 생활을 수십 년째 해왔던 그녀. 그런 모습 때문에 한때 '저게 뭐 그리 좋다고 열심히 하시지?', '왜 저리 재미없게 사는지...' 생각하며 안타까워했던 적이 많이 있었다. 사실 '꿈이 있긴 했어?'라고 물으려다가 말이 잘못 나온 감이 없지 않아 있었다.

'꿈이 어딨어~ 그냥 사는 거지'라는 식의 대답이 올 줄 알았으나, 갑자기 빨래를 접던 걸 멈추고 약간 정면 15도 위를 바라보며, '난 국어 선생님이 되고 싶었어.' 하는데, 그때 내가 본 그녀의 눈은 어렸을 적 어린이날 내 아버지가 장난감 가게에 들어가 '뭐든 골라봐! 아빠가 다 사 줄게!' 했을 때의 행복한 고민을 하던 그때 내 눈, 그때 그 순간의 내 눈을 보는 듯했다.

당신의 생각을 어딘가에 써두는 걸 좋아했다고 했다. 책 읽을 때 그 책이 재미도 있었지만 나도 한번 이런 책을 써보고 싶다는 막연한 생각을 했었다고 했다. 또 어떤 책을 읽고 나서는 '이런 건 나도 쓰겠다.' 한 적도 있었다고 했다. 그 책은 거침없이 늘 우리의 식탁 위로 올라왔었다고 했다. 뜨거운 냄비에 나무로 만든 식탁이 타면 안 되니까. 그런 책들은 그런 책들대로 또 자기만의 가치있는 역할을 그녀에게 부여받았다.

그리고 자신이 학생 시절에는 얼굴도 모르는 군인들한테 편지를 쓰는 시간이 있었는데, 다른 친구들은 그걸 그렇게 힘들어했다고 했다. 근데 자신은 그것이 전혀 힘들지 않았었다고, '그게 뭐가 어렵지? 그냥 생각나는 것들을 주욱 쓰면 되잖아?' 한다.

내 짧은 질문 '꿈이 뭐였어?' 한 마디에 이런 많은 얘기들을 했다. 쉴 새 없이. 누가 물어봐주길 바랬던 사람처럼.

'꿈이 있긴 했어?'라고 물어보지 않은 나 자신이 그렇게 대견스러울 수가 없었다. '꿈이 있긴 했어?'가 아닌 '꿈이 뭐였어?'라고 물어본 무의식을 허락해 주신 신께 깊이 감사드린다.

얼마 전이다. 이런 위의 기억들이 떠오른 건.

늘 습관처럼 오른쪽 어깨를 왼손으로 주무르듯 만지는 그녀의 모습을 '예술적으로' 바라보던 얼마 전이다. 그래. 그녀는 그 무거운 다리미를 쓰며 하루를 시작했지. 어느 날 그녀의 남편이 출장을 갈 때면 출장 기간 내 모든 일정에 말끔히 다려진 셔츠를 새로 입을 수 있게 서너 벌을 다리는 일도 많았다. 그 구식 다리미. 엄청 무거웠던 기억이 나한테도 생생하게 남아있다.

그렇다. 그녀에겐 그것밖에 방법이 없었을 것이다. 당신에게 주어진 현실에 최선을 다하는 방법 말이다. 회사에 다니는 남편이 밖에서 소위 '꿀리지 않도록' 할 수 있는 방법을 무엇이라 생각했을까. 비록 지갑에 두둑이 용돈을 넣어주진 못하지만 그 두둑한 용돈보다 더 빛나는 희생과 헌신, 정성으로 가족들을 위해 하루하루를 사는 것이 그녀의 사명이라고. 그중 하나가 남편의 와이셔츠를 날카롭게 다려내는 것이라고.

그녀는 그렇게 자신의 꿈을 포기하고 그렇게 살 수밖에 없었을 것이다. 자신의 꿈을 자신이 아닌 다른 사람들의 행복과 맞바꿨다는 게 내 눈에 명확히 보였다.

평소 보이지 않던 것이 또 보였다. 그래. 맞아. 그녀의 침대 머리맡에 붙어있는 화장대. 거기에는 화장품보다 늘 책들이 더 손 가까운 데 있었지. 그녀가 아직도 그런 마음으로 '책'을 대하고 있었던 것이 아닐까.

'아니 왜 멀리 바다 건너 해외여행까지 와서 책을 봐요?'

'그런 책은 뭐 하러 사요~ 재미도 없어 보이는데~'

'책이요? 에이~ 그냥 빌려서 보는 게 어때요?'

내가 과거에 했던 철없는 멘트들이 그녀에게 어떻게 들렸을지 생각하면 그 어떤 내 소중한 걸 신게 내어주고서라도 과거로 되돌아가고 싶다. 그게 그녀의 꿈이었는데.

내가 무대에서 연기하고 싶었고, 노래하고 싶었지만 그걸 이루지 못해서 그걸 하는 사람들의 주변에서 공연기획자, 연출자로 살아가는 것처럼, 그녀도 그녀의 꿈을 그저 가까이에 두고 싶었던 거였을 텐데.

그러고 보니 그녀의 글은 사소한 내용임에도 표현이 사소하지 않았다. 그녀가 즐겨 하는 포스트잇 메모에서 그녀의 사소하지 않은 실력들이 떠올라 내 눈앞에 펼쳐져 보였다.

'냉장고에서 과일 꺼내 먹어'를 그녀는 이렇게 표현했다.

'냉장고 열면 맨 위에 있는 노란 통, 그 안에 네가 이 세상에서 제일 좋아하는 과일 있다. 뻘건 거' (딸기)

또 '와서 반찬 가져가'라는 표현을 그녀는 이렇게 표현했다.

'슬슬 냉장고가 새것 같아졌을 텐데 그럴 거면 아예 코드를 빼놓는 게 낫지~'

그녀를 예술적으로 바라보자 그녀의 삶 속 사소해 보였던 흔적들이 예술작품으로 다가와 내 머리와 마음에 '감동'으로 부딪혀 맺혔다.

그에 반해 난. 난 어떻게 했지?

문득 그녀와 주고받은 문자메시지를 열었는데, 온통 내가 그녀에게 보낸 문자는 이렇다.

'지금은 전화를 받을 수 없습니다.'

'나중에 전화드려도 될까요?'

'네~'

'네~ 밥 먹었어요'

답답하기 짝이 없다 진짜.

그녀의 손글씨 또는 마음이 닿은 모든 게 소중해졌다. 그녀의 메모를 받을 수 있는 여러 가지 다양한 방안들을 생각 중이고 곧 실천에 옮길 예정이다.

며칠 전.

그녀가 또 오른쪽 어깨를 왼손으로 주무르듯 만졌다. 그녀를 예술적으로 바라보기 전이었다면 난 뭐라고 했을까.

'맨날 아프다, 아프다 그러지 말고 병원에를 가요! 아 돈이 없어 보

힘이 없어?'라고 했을 수도. 뜨끔하다.

이제는 다르게 보이는 그녀, 자신의 꿈을 다른 이들의 행복을 위해 후순위로 저만치 멀리 미뤄버린 그녀. 내게 감동을 주기 위해 늘 노력해왔던 그녀에게! 나도 소박한 메시지를 담아 대화하고 표현해야 한다. 이렇게라면 어떨까.

"엄마! 어디 아픈 데 없으시지? 내년 봄에 아들이랑 여행 한번 갑시다."

그녀가 신이 나서 병원에 가길 바라면서.

'세 번째 기록'을 쓰게 만든 사진 한 컷

요가안에서 피어나기

최지민

최지민 요가를 좋아하고 매트 위에서 느낀 것들을 나누고 있는 요가강사입니다.

19살 겨울에 요가를 처음 만나 현재, 빈야사요가와 하타요가를 수련하고 있습니다. 요가를 수련하면서 나를 사랑하고, 주변을 사랑하며 세상과 하나 되어가는 법을 배워가고 있습니다. 평범한 일상 속 우연히 요가를 만나 삶의 마디들에서 일어났던 일들과 느꼈던 감정을 담아 나누고자 합니다. 에너지는 전달된다고 믿습니다. 이 책을 읽는 사람들에게 제 에너지가 전달되었으면 합니다

학창시절 진로 상담시간
내가 가장 스트레스 받았던 질문이 떠오른다.

"꿈이 뭐니? 어떤 학과에 들어갈거니?"

꿈. 오늘을 살아가는 사람이라면 누구나 한 번쯤 고민해 보았을 짧은 단어가 갖는 힘은 우리의 대답을 망설이게 만든다. 그 시절, 나는 유별나게 좋아하는 것도 하고 싶은 것도 크게 이루고 싶은 것도 없었고

꿈이 명확하게 없던 나에게 장래희망을 적는 시간은 가장 싫고 힘들었던 기억으로 남아있다.

그랬던 나는 요가를 만나고 스스로와의 대화를 시작했다. 매트 위에서 나를 관찰하고 밖을 바라보고 있던 시선이 나를 향하기 시작했다. 처음이었다. 나를 관찰하지 않고 그냥 흘러가는 대로 살던 내가 스

스로를 관찰한다는 것은. 진짜 무엇을 하고 싶은지 세상에 어떤 영향력이 있는 사람이 되고 싶은지 말이다. 요즘에 나에게 누군가가 좋아하는 게 뭔지 묻는다면 자신 있게 말할 수 있다. "저는 요가를 좋아해요" 라고.

육체적 건강을 위해 요가를 하다가, 그 이상의 것을 얻고 많은 것을 깨우쳤다.

오늘도 나는 들이마셨다가 내쉬는 긴 숨에 다시 한번 몸을 늘리고 비틀고, 몸과 마음이 유연해 진다. 살아가면서 느꼈던 소소한 것들을 이 책에 나누어 보려한다.

*우연히, 좋아하는 것을 찾았습니다

"인생은 초콜릿 상자와 같은 거야. 네가 무엇을 고를지 아무도 모르지."

영화 '포레스트 검프'의 한 명대사이다. 인생의 파도는 어떻게 흘러갈지 아무도 모른다는 말이다. 현재 내 삶의 변화를 잘 표현해주는 말이라 생각한다.

학창시절 나는 유별나게 좋아하는 것도 크게 이루고 싶은 것도 없었다. 꿈이 명확하지 않았던 나에게 장래희망을 적는 칸은 생각의 연속이었고, 내가 어떤 사람이 되고 싶은지는 대답하기 참 어려운 질문이었다. 그 당시 나에게 꿈이 뚜렷하지 않다는 것은 크게 문제가 되지 않았지만, 대학에 들어가면서 내가 사회 일원으로서 무언가 해나가야 한다고 생각하니 내 삶에 대한 물음표가 커지기 시작했다. 그래서 성인이 된 후, 나는 그냥 흘러가는 대로 하고 싶은 것을 해보기로 다짐했다. 흘러가는 대로 움직였더니 좋아하는 것이 요가였다.

요가를 처음 만났던 날이 기억난다. 열아홉살, 헬스장에 운동을 끊으러 상담을 받고 나오는 길에, 옆에 있던 요가원 원장님과 눈이 맞추쳤고, 친절하셨던 원장님의 상담에 우연히 요가를 처음 시작하였다. 내가 생각했던 요가란, 땀을 흘리지 않고 작은 매트 안에서 몸을 가볍게 스트레칭하는 운동이었다. 가볍게 생각하고 갔던 첫 수업날, 나는 최근 들어 제일 많이 땀을 흘렸다. 요가가 이렇게 역동적인 움직임이 었는지, 우아한 동작 속 정말 많은 근육들이 사용되는지도 처음 알았 다. 숨이 찰 정도로 많은 동작들을 끝내고 '사바아사나' 즉 송장 자세 라고도 일컫는데 편하게 설명하자면 매트 위에 누워 있는 것이다. 땀 을 흠뻑 흘리고 잠시 눈을 감고 누워있는데 그냥 눈물이 났다. 숨에 집 중하고 들이쉬고 내뱉는데 정말 나에게 온전히 집중한 느낌이었다. 정 확히 무슨 감정인지는 모르겠는데 호흡을 통해서 위로 받는 느낌을 강 하게 받았다.

그날 이후 나는 요가에 푹 빠지게 되었다. 어떤 운동을 매일 해본 적 이 없는데, 요가를 만나고 매일 매일 요가원에 가는 것은 내 하루의 행 복이었다. 대학교 수업이 끝나면, 하루의 마무리는 항상 요가였고, 학 교 공강일이나 방학되면, 오전 오후로 요가원에 출석을 했었다. 얼마 나 자주 다녔던지 요가원 아줌마들 사이에서 나를 모르는 사람이 없 었다.

그냥 흘러가는 대로 살다가 요가를 만났고, 가볍게 시작했던 요가 가 내 삶을 영원한 동반자가 되었다. 내가 요가에 푹 빠진 이유 중에 하나는 매트 위에서 느끼는 많은 감정들이 제일 컸다. 작은 공간이지 만 매트 위에 올라서 스스로와 대화를 처음 시작했고, 나는 나자신에 게 어떤 말을 하고 살아가는지, 진짜 무엇을 하고 싶은지,타인에게는 어떤 사람이 되고 싶은지, 더 나아가 세상에는 어떤 영향력이 있는 사람이 되고 싶은지에 대해 고민하는 시간들이 많아졌다. 그 생각들이 너무 소중했고, 매트 위에 서는 순간들이 쌓여 내면의 나를 많이 변화시켰다.

그래서 요즘에 나에게 누군가가 좋아하는 게 뭔지 꿈이 뭔지 묻는다면 자신 있게 말할 수 있다. " 저는 요가를 좋아하고 제 꿈은 요가강사예요" 라고 말이다.

돌이켜 보면 뭘 하고 싶은지 뭘 하기 싫은지 조차 잘 몰랐던 내가 좋아하는 걸 찾았다는 것은 너무 나도 감사한 일이다. 목적지도 모른 채 저을 수 있는 노도 없이 떠 있는 작은 보트 같았던 내가 요가를 만나고 해답을 찾아가고 있다. 인생은 노트와 같다는 말을 인터넷에서 본 적이 있다. "2장의 페이지는 이미 신에 의해서 결정된다고, 첫 번째 페이지는 탄생이며 마지막 페이지는 죽음이라고." 그러나 첫장과 나머지 장을 제외한 페이지는 모두 비워져있다. 나에 의해서, 내 이야기에 의해서 채워질 것이다. 내 인생은 어떻게 흘러갈지 전개를 예측하기 어렵지만 적어도 내 삶과 이야기에는, 모험과 웃음과 그리고 사랑으로 채워지길 바란다. 그리고 다시 한번 좋아하는 걸 찾음에 있어 감사함을 느낀다.

*두려움이 앞선다면, 일단 시작해보기

좋아하는 것을 따라 꾸준히 걸어가다보니 자연스레 요가강사의 꿈을 갖게 되었다.

우연히 만난 요가지만, 요가를 만나고 내 인생이 변화가 너무 커서, 느끼고 배운 걸 많은 사람들에게 나누고 싶은 마음이 컸다. 2021년 상반기 겨울에 나는 홍대에서 3개월동안 주말을 할애해 지도자 과정을 밟았다. 요가라는 매개로 모인 다양한 사람들과 함께, 더 깊게 공부하고 움직이다 보니 요가에 대한 애정도는 더 커져갔다. 하지만 막상 요가강사의 길을 걸으려 보니 부딪치는 장벽의 높이는 생각보다 나에게 크게 다가왔다. 지도자 과정 중 첫 발표 시간, 약 20명이 지켜보는 앞에 서는 순간에 내손은 벌벌 떨렸고, 목소리는 흔들림의 연속이었다. 얼마나 떨렸던지 외웠던 동작 순서도 다 까먹었다. 그냥 내 기준 발표는 완벽하게 망했고, 그날 다시 생각했다. "내가 요가를 정말 좋아해서 지도자 과정을 시작했지만, 이 두려움을 이겨낼 수 있을까?" 그날의 발표는, 정말 나에게 있어 너무 속상한 순간이었고, "지도자 과정을 계속할 수 있을까?"에 대한 고민의 연속이었다. 정말 포기하고 싶었다.

발표가 끝나고 속상해 눈물을 흘리고 있었던 순간, 내 멘토 선생님이 나를 아주 꽉 안아주셨다. 그리고 내게 "지민쌤 할수 있어. 하다 보면 늘어요. 포기하지 말아요."라고 말씀해주시는데 너무 큰 용기를 얻었다. 그날 이후, 나는 일단 할 수 있는 만큼 최선을 다해 노력해보기로 결심했다. 남들보다 더딘 것을 그냥 인정했고 후회하지 않을 만큼 더 노력하기로 했다. 내가 정말 좋아하는 요가여서 그런가. 나를 두렵게 하는 것들보다 내 꿈이 더 강해서 쉽게 포기하고 싶지 않았다.

그날 이후, 매일 지하철에서 중얼거리며 티칭 대본 연습을 했고, 몸으로 움직임을 익히기 위해 수련도 정말 열심히 나갔다. 집에서는 혼자 티칭 영상도 정말 많이 찍으면서 남들보다 두 배 더 열심히 했던 것 같다, 노력하다 보니 조금씩 변화가 보이기 시작했고, 성장하는 내 모습을 보면서 처음에 했었던 걱정들이 조금씩 사라졌다. 그리고 연속해서 발표수업을 해나가면서, 요가 수업을 조금씩 즐기는 나를 바라보게 되었다.

두려움이 가득해서 도전을 두려워하는 사람들에게 말해주고 싶다.
"두려워하지 말고 후회하지 않을 만큼 해보세요. 실패하더라도 오히려 가벼워 진 나를 마주하게 될 것이예요." 실패는 연습이다. 연습은 몇 번이고 해도 되고, 실패했다는 건은 성공에 조금씩 가까워진다는 증거이다. 두려움이 가득할지라도 그 한계를 넘어 계속 도전하는 마음이 필요할 것 같다. 그 길이 내가 원하는 길이라면, 조금 더디더라도 한발 한발 내딛어 보자. 어느새 돌아보면 그 한 걸음이 열 걸음, 스무 걸음, 오십 걸음, 더 나아가 수천 걸음이 되어있을 것이다.

*두려움이 곧 성장 에너지로 꽃피운다

두려움이 왜 이렇게 많을까? 두려움에서 한걸음 멀어졌다고 생각했는데 아직도 또 다른 두려움이 더 크게 보인다. 내가 한 걸음, 아니 반 걸음이라도 내디딘 게 맞나? 다시 나 스스로에게 의문이 생긴다.

다들 한 번쯤은 불안이라는 감정에서 헤어나오지 못한 경험이 있을 것이다. 나 또한 불안했던 경험이 많다. 새로운 것에 대한 두려움의 심지가 너무 커서 일을 망친 경험도 많이 가지고 있다. 초보 요가강사 시절에는 수업에 대한 두려움, 잘해야 한다는 압박감이 너무 커서 요가 동작 순서를 머릿속에 익히고 순서대로 수업을 진행해야 하는데, 순서를 까먹어 수업을 망친 경험도 있고, 요가강사를 하며 어느정도 사회 생활에 적응이 되었다고 생각했는데 22살 가을, 회사에 처음 입사했을 때는 또 다른 두려움이 찾아왔었다. 전화 업무였다. 하나의 두려움을 이겨내면, 또 내가 두려워하는 것이 나타나는 상황이 너무 속상해 눈물이 났던 적도 있다.

반면 불안했지만, 막상 겪으니 별거 아니었던 경험도 꽤 있었다. 첫 수업 때, 한 시간을 잘 이끌어 나갈 수 있을까 걱정했지만, 정말 많이 연습하고 준비한 끝에 잘 해냈다. 또 처음 야외요가 클래스를 열었던 날, 너무 떨렸지만 수업이 시작되고는 편안하게 말하고 있던 나를 발견했다. 막상 돌이켜 보면 아무것도 아니었던 것이었지만, 미리 불안해하고 겁먹었던 때가 많았다.

　이런 경험들이 쌓여 요즘 내가 느끼는 점은 만약 미래를 예측할 수 있었다면, 삶의 오르막이 있을 거라고 예고해 주었다면 불안 따위는 없었을 것이다. 우리가 불안에 떠는 이유는 앞으로 닥칠 일이 무엇인지 모르기 때문이다. 어떤 상황이 내가 다가올지도, 내가 잘 대처 할 수 있을지도 모르기 때문이다. 아직 오지 않은 상황이지만 어떻게 내게 다가올지 모르기에 나만의 벽, 두려움의 벽돌을 너무 높게 쌓고 있을 수도 있다. 그렇기에 우리는 돌이켜보면 더 잘할 수 있었지만, 그 당시의 생각보다 더 못한 경험도 가지고 있고 생각한 것에 비해 대처하기 쉬웠던 경험도 있을 것이다.

　미래를 미리 알면 좋겠지만 우리에게 그런 능력은 없다. 두려움을 아예 없애고 싶지만, 아예 없애는 것은 불가능하다. 하지만 그 두려움을 조금 작게 만드는 것은 가능하다. 두려움에도 불구하고 용기를 내려면 스스로를 믿을 수 있어야 한다. 그 믿음은 생각보다 쉽게 내 마음속에 생기지 않는다. 내가 할 수 있는, 그리고 용기낼 수 있는 작은 시도를 통해서 작은 성취와 성공 경험을 차근차근 쌓아 나가면 된다, 그러다 보면 두려움보다 훨씬 더 큰 감정들로 채워질 것이다. 그것이 설렘일 수도 있고, 기쁨일 수도 있다. 두려움에 나를 파묻지 않고, 두려움을 잘 활용하는 나를 만들 수 있다.

*생각을 덜어내고, 나를 있는 그대로 받아드리기

우리 모두에게 이번 생은 처음이라, 모든 바람이 다 새롭고 낯설다. 두려움의 감정이 생기는 것은 당연한 일이고 또 새로운 바람이 불어올 때마다 우리는 달리 나는 법을 익혀야 한다.

지금의 비행이 낯선 것도, 나는 법을 모르는 것도 당연한 일이다.

나는 요가를 그 무엇과 비교할 수 없을 정도로 좋아한다. 그래서 자연스레 요가강사의 길을 걸었지만, 요가 지도자 과정을 밟고 있는 시기에 걱정이 너무 많았다. 요가강사로서의 나는 하고 싶은 것만 할 수 없었다. 내가 낯설어하는 것, 두려워하는 것들도 너무 많았고 그것을 이겨나가야 꿈을 이룰 수 있었다.

남들 앞에서 말하는 것을 많이 안 해 보아서 남들보다 두려움이 큰 게 당연했다. 그걸 알지만 때로는 이상하게 나를 있는 그대로 받아들이기 힘들었던 것 같다.

그래서 생각을 조금 단순하게 하기로 했다.

단순하게 생각했더니 나와의 대화가 부족했던 것 같았다. 그냥 많이 안 해봐서 낯설어서 서툰게 당연하다. 하지만 한 부분에서 서툰 나를 받아드리기 쉽지 않았던 것 같다.

첫 번째로 나는 받아들였고 두 번째는 인정하고 노력했다.

나의 내면이 안심하고 방문객을 받아들이는 순간, 만남이 시작된다. 내가 나의 내면에게 다가가 다정하고 온화한 태도로 들어줄 때, 나의 내면은 점점 더 진실된 모습을 보여줄 용기를 갖게 되었고, 솔직하게 어떤 한 부분에서 서툰 나도 받아들이기로 했다.

그리고 정말 많이 노력했다.

늘 시작은 두려움으로 가득하다. 새로운 일에 도전했을 때는 "내가 이일을 잘 해낼 수 있을까?"하는 의심으로, 나에게 올 수도 있는 실패와 시련을 받아들일 수 있을까 하는 걱정으로 가득하다.

지금까지의 나의 삶을 되돌아보면 의심과 불안의 연속이었던 것 같다. 미래에 대한 막연한 두려움과 나에 대한 확신이 없는 그 상태로 계속 앞을 향해 걸었다. 그냥 주어진 일들을 잘 끝 마치자는 생각으로 꾸준히 그길을 걸었다.

초보 강사 시절, 사시 나무 떨듯 남들앞에 섰던 나는 현재 정말 많은 사람들에게 요가를 나누고 있다. 내가 할 수 있는 작은 용기들이 모여, 나를 또 다듬고, 다듬고 서서히 성장했다. 떨리는 목소리를 해결하기 위해 50번 이상 대강 수업에 나갔고, 좋은 이야기가 생각나면 글로 적어 익히고 회원님들께 내 생각을 말하는 연습을 했다. 조금의 용기, 시도는 점점 나를 성장시켰고, 지금은 수업이 너무나도 재미있고 수업하는 것을 즐긴다. 내가 좋아하는 요가를 많은 사람에게 나눌 수 있어서 매 순간 감사하고, 마음을 나눌 수 있는 내 직업을 무척이나 사랑한다.

물론 요즘도 낯선 곳에서 요가 수업을 진행할때면 떨린다. 하지만 그 떨림을 조절하고 감출 수 있다.

생각은 힘이 세서 생각 하나를 더듬더듬 계속 떠올리다 보면 생각이 금세 어떤 믿음을 만든다. "할 수 있다. 한번 더 해보자"라는 마음을 가지고 두려움의 생각 대신 나에 대한 믿음을 조금씩 만들어 간다면, 언젠간 그 결실은 온다. 포기하지 않고 그저 묵묵히 그 길을 걸으니 언젠간 꽃은 피고 바라던 일이 현실이 된다.

꿈은 이루어진다. 그 말이 너무 추상적인 것 같아 믿지도, 그리 좋아하지도 않았지만 하나는 확실하다. 미래는 나에게 달려있다는 것이다. 당장은 불확실해 보이는 일도 나에 대한 믿음을 가지고 앞을 향해 쭉 걸어가다 보면 언젠가 그 길에 닿게 된다는 것이다.

시간은 누구에게나 공평하게 흐른다. 그 흐르는 시간들을 어떻게 걸어 나갈것인지에 따라서 미래의 결과는 달라진다. 나의 삶, 내가 보내는 시간들을 다시 돌아보자. 시간에 밀도를 더하는 것은 어떤 것 새로움을 시작하고 그것을 계속 지속해나가는 것이다. 똑같이 주어진 시간, 꾸준히 걸어가다 보면 삶의 밀도가 달라질 것이다

*그냥 웃을게요. 그게 나예요.

나는 웃음이 많다. 정말로 많다. 어렸을 때부터 웃음이 많아, 부모님이 찍어주신 사진들을 보면 웃는 사진들이 정말 많이 남아있다. 내가 웃음이 많은 이유에 대해 곰곰이 생각해 보았는데 나는 소소한 것에 행복을 많이 느끼는 사람이다. 작은 것에도 행복해 하고 그래서 일상 속에서도 웃을일들이 많은 것 같다.

성인이 되어서 처음 사회생활을 시작할 때 이런 이야기를 들은 적이 있다.
"뭐가 그리 웃겨요? 사회생활 할때는 덜 웃는게 좋아요. 만만하게 봐요."

그때 들었던 문장이 며칠간 머릿속에서 맴돌았다. 많이 웃으면 정말 만만하게 보는건가.
웃음이 많은 내 모습을 바꾸려고도 노력해보았다. 평생을 웃고 살아와서 그런지 그냥 웃고 싶은데 안 웃는 것이 너무 힘들었다. 그냥 미소가 지어지는데 그걸 어떻게 감춰야 하는지 방법도 모르겠고 감춰지지도 않았다.

문득 그런생각이 들었다. 인생의 정답은 없는데 많은 사람들은 다 인생의 정답 같은 것이 어렴풋하게 있다고 생각하는 것 같다. 누가 언제부터 정했는지 모르는 틀에 나를 끼워 맞춰 살고 있는건 아닌지. 나 또한 누군가 정해 놓은 방향으로 가기 위해 노력했던 것 같기도 하다. 그런데, 살아가다 보니 인생의 정답은 없고 그냥 나는 나 있는 그대로 살아가고 싶다는 생각이 크게 들었다.

조금의 시간이 지나 나는 요가를 나누고 있다. 그 공간에서만큼은 내가 웃고 싶을 때 웃어도 된다. 나는 요가 수업을 시작할 때 "나마스떼" 라고 말하며 한분 한분 눈 인사를 나누고, 수업이 끝나면 나가는 문 앞에서, 회원님에게 "오늘 수고하셨어요"라고 말하며 또 한번 미소를 나눈다. 수업에 와서 내 리드에 맞춰 에너지를 공유하는 사람들을 보며 너무 큰 기쁨을 느낀다. 웃고 싶을 때 웃을 수 있고 내 감정을 솔직하게 들어 낼 수 있는 요가강사가 참으로 좋다.

난 아직도 웃음을 잘 못 숨기고 나도 모르게 미소가 지어지는 사람이다.

수업하는 도중에 요가원 원장님이 사진을 찍어주셨다. 사진 속 나는 방긋 웃고 있었다.

내 수업에 들어와서 함께 시간을 보내는 이들이 조금씩 발전하고 나아가는 모습을 보며 같이 기뻐하고 웃는다. 정말 감사하고 있는 그대로의 나를 표현할 수 있는 이 직업이 좋다.

세월이 많이 지나고도 나는 웃음이 여전히 많은 사람일 것 같고, 그런 내가 여전히 좋을 것 같다.

많은 사람들이 인생의 정답이 없으니 자유롭게 나 그대로로 살아나 갔으면 한다. 세상이 정해진 틀에서 벗어나 내가 하고 싶은 그대로 표현하는 삶이 되어가기를.

*평범하게 살기 싫다. 누구보다 재미있는 삶을 살고 싶다

평범한 삶을 추구하는 건 좋지만, 그저 그런 평범한 사람으로 남는 건 어쩌면 재미를 잃어버린 삶이 아닐까라는 생각을 한다. 도전하는 삶은 때로는 두렵고 흔들리지만, 그 안에서 얻어가는 것은 그 무엇보다 재미있다. 불안과 두려움이 설렘으로 바뀌가는 과정이 나를 성장하게 만든다. 모든 도전들은 나를 위한 시도로 남고, 실패와 성공 그 이상의 것을 얻게 해준다.

두려움에 갇혀, 요가강사의 꿈을 접었더라면, 요가강사로서의 느끼는 행복도 없을 것이다.

순간의 용기, 눈 딱 감고 창피함을 무릎쓰며 확 뛰어드는 무모함, 먼저 들이대는 용기는 인생을 송두리째 바꾸어 놓는다. 운명을 주체적으로 이끈다. 배움으로 새겨진다. 작은 용기들이 모이고 모여 새로운 경험을 만들고, 또 그 경험은 새로운 기회로 나아간다.

22살, 요가강사라는 꿈을 처음 꾸고 도전하는 삶 속에서 재미를 처음 얻어갔다.

23살, 또 다른 무언가를 얻어가고 싶어 첫 직장에 들어가 회사생활을 시작했다. 전화 공포증이 있던 나는 회사생활을 하면서 내 의견을 당당하게 말할 수 있는 사람이 되었고, 한 발짝 더 나아갔다. 24살 올해에는, 열심히 모은 돈으로 다양한 취미생활을 해보고 싶었다. 깊은 물속에 들어가 수영을 하고 싶어서 스쿠버 다이빙을 배웠고, 대학교때 잠시 배웠던 사진을 더 깊게 배우고 싶어 주말마다 사진 수업을 배우고 있다.

지금도 나는 좋아하는 것들에 대해 생각해 보곤 한다. 하고 싶은 것들과, 잘하고 싶은것들에 대해서 가만히 생각해 보곤 한다. 익히지 못하고 느끼지 못한 감각들에 대해 상상을 한다. 내가 아직 느끼는 못한 것들을 하나 하나 이뤄 나갈 때 나는 행복을 느끼는 것 같다. 이제는 두려움이 설렘으로 바꾸는 과정들이 너무나도 재미있다.

24살, 하반기 지금은 글을 쓰고 있다. 지금까지 살아오면서 느낀 것, 새롭게 알아온 것들을 조금씩 적고 있다. 꾸준히 적어나가며 여태 걸어온 내 삶을 다시 정리하고 있는 듯하다. 내 생각을 글로 적는다는 게 쉽지는 않지만, 쉽지 않아서 더 흥미 있는 것 같다. 책 출판에 도전하면서 나는 또다른 나를 알아간다. 지금의 내 삶이 너무 재미있다.

*긍정 에너지를 공유한다는 것/관계에서 주고받는 긍정에너지

　요가를 하면서 얼굴이 좋아졌다는 말을 자주 들었다.

　요가가 주는 신체적인 요소들도 많겠지만 그 중 하나는 "긍정 에너지가 아닐까?"라는 생각을 한다.

　요가는 수업이 끝나면, 사바사나라고 해서 누어서 휴식을 시간을 갖는다. 사바아사나 시간이 끝나면 내적 에너지가 넘치고, 내 몸을 감싸고도는 이 기분좋은 느낌이 너무 좋아서 잠시라도 조용히 음미의 시간을 가지곤 한다. 내 마음속 감정은 뭐든지 다 할 수있을 것 같고, 내 안에 무언가가 정말 꽈악 안정감있게 채워지는 느낌이 든다.

　외부의 자극이 아닌 내부, 내적에서 일어나는 무언가가 나를 자극하는 것, 처음 느끼는 새로운 기운이었다. 그때부터 나는 눈에 보이지 않는 에너지가 실제로 존재한다고 믿는다. 그 에너지는 정말 다양한 곳에서 나온다. 요가원 공간이 주는 에너지, 옆 매트에서 나와 같이 호흡하는 상대방의 에너지, 그리고 나도 모르게 뿜어져 나오는 나의 에너지, 그리고 앞에서 호흡해주시고 리드해주시는 선생님의 에너지. 그 기운들이 전달되고 또 연결되어 더 크고 더 밝고, 커다란 에너지로 돌아온다고 생각한다.

　우리 몸에서는 항상 에너지가 나온다. 수많은 세포들은 에너지원이다.

좋은 생각에서도 나쁜 생각에서도 에너지가 나오고 에너지는 나와서 어디론가 전달된다.

사람으로부터 나온 에너지는 사람을 비롯해 사물에게로도 다다른다.

사람끼리는 에너지를 주고받으며 교환한다.

상호적인 에너지는 그 효과가 배가 되어 더 큰 에너지를 만든다.

내가 요가강사가 되고 싶었던 이유 중에 하나가 그 에너지를 나누고 싶어서다. 요가강사로써, 낯선 곳에 낯선 사람들을 만나 수업을 한다. 수업하기 전에는 항상 가볍게 눈을 감고 명상을 한다. 내 기운이 전달된다고 믿기에 좋은 에너지를 끌어온다. 그리고 그 에너지를 많은 사람들이 에너지를 공유한다.

정말 에너지는 전달된다고 믿는다. 수업이 끝나고 낯선 사람들과 나는 가까워진 느낌이 들고 나만 느끼는 감정은 아닌 것 같다. 하루는, 수업 전 나에게 이유 없이 툴툴거리는 회원이 있었다. 내 수업이 시작되었고 그날따라, 왠지 나는 그 사람에게 더 좋은 에너지를 전달하고 싶었고 핸즈온도 많이 해드리고 옆에서 움직임도 같이 많이 나누었다. 그날 이후, 그 회원님들 정말 다른 사람처럼 부드러운 사람이 되었고 커피까지 내게 사다 주셨던 기억이 있다. 그때 다시 한번 에너지의 연결성을 확인했다. 내 내면에서 흘러나오는 에너지는 결국 주변에서 알아차릴 수 밖에 없고 공유된다. 그러기에 대화를 하지 않아도 우리는 하나가 되고 통한다.

그 기운은 꼭 요가원에서만 느끼는 감정이 아니다.

우리집에는 11년째 나와 함께 하고 있는 강아지가 있다. 이름은 쿠키인데, 쿠키는 가족 모두가 집에 있고, 평온하면 잠을 잔다. 아주 느긋하게 풀어져서 좋아하는 배게에 누어서 휴식을 취한다. 마치 사람의 마음과 집안의 분위기를 읽어내듯 행동하는 것 같다. 이런 점을 바라보면, 같이 살다 보니 에너지는 연결되고 말은 통하지 않아도 어떤기운을 주고 받는다는 생각이 든다. 말은 통하지 않는데 우리는 통하는 듯하다.

에너지를 전달할 수 있다는 것은 참 행복한 일이다

그리고 그 에너지를 잘 활용해서 누군가에 행복과 연결된다면 언제라도 그 에너지를 나누고 싶다는 생각이 든다. 그래서 나는 요가를 나눈다. 그게 작은 에너지일지라도 나누고 그 에너지가 커질수 있다면 그것 보다 행복한 일이 있을까 싶다. 누군가에게 나의 기운을 나눠주는게 얼마나 좋은지 알기에 요가강사라는 이일에 더 애정이 가고 수업하는 매 순간에 감사하다.

요가를 하면서 다시 한번 나를 알아간다.

"아, 나는 타인에게 행복을 나누어 줄 때, 행복감을 두 배로 느끼는 사람이구나." 요가를 수련할때도 너무 행복하지만, 요가를 나누면서 얻는 행복도 너무 크다. 어쩔 땐 내가 수련을 하는 것보다 더 많은 행복과 기쁨을 느끼기도 한다. 앞으로도 세상 사람들에게 긍정적인 에너지를 나누어 줄 수 있는 사람이 되고 싶다. 그게 작은 에너지여도 좋다. 단순히 돈을 많이 벌고, 사회가 인정하는 능력을 가지는 것에서 멈추는 것이 아니라 주변에 긍정적인 영향을 끼치는 사람이 되고자 한다. 사회의 일원으로서 행복을 나누는 일을 할 수 있다는 것 자체에 감사하고, 그래서 요가강사라는 직업이 너무 좋다.

마무리하며,

요가를 통해서 삶이 유연해지고 단단해 지기 시작했다.

오늘도 내일도 나는 계속 요가를 할 것이다. 내가 진심을 다해 요가를 수련하고 나눈다면, 그 에너지는 전달되고 전달되어 요가를 모르는 사람들에게도 긍정적인 에너지가 전달될 것이라고 믿는다.

그리고 이 글은 읽는 사람들에게 내 에너지가 전달되었으면 한다. 이 글을 읽는 모두가 일상 속에서 조금 더 평온하고 행복한 일들이 많기를 진심으로 소망한다.

있다 잇다 잊다

김선경

김선경

지나간 시간들속 사람은 사람에게 미안해하고, 고마워하고, 그리워하는 여러마음을 담아뒀습니다. 이 글을 읽고 지금 함께하는 주변사람들과 보내는 시간이 얼마나 소중한 순간들인지 느낄수 있도록. 가까운 사람을 미워하거나 만남을 미루기엔 아까운 시간들이 많다고, 그 사람을 예뻐할 순간만으로도 시간은 부족할 것입니다. 내 자신을 챙겨야 주변을 챙겨줄 수 있습니다. 마음이 가장 힘들 때엔 본인을 다독이며 챙겨볼 수 있기를, 자신을 미워하며 남을 챙기는 것은 누구나 어렵습니다. 소중한 사람이 줬던 응원과 사랑을 기억하며 독자들이 모두에게 좋은 마음을 나눌 수 있길 바라고, 제가 보낸 모든 시간들과 그 사이 전해받은 마음을 감사함으로 전해보려 제가 느꼈던 그 마음을 나누어봅니다.

-소중한 사람이 멀리 떠났을 땐-

어떠한 내 마음이 시도 때도 없이 슬프고 괴로울지 생각해봤다.

단순하더라. 앞으로의 네가 없어서인데 내 곁에 없다는 것을 마지막까지 못 받아들이고 붙잡던 내 마음은 이 세상에 무엇을 바랐을지...

소중한 사람을 잃어본 사람만 알 수 있다. 세상의 그 어떤 삶도 그 사람과 함께 했던 날보다 행복하지 않다는 것을

하루를 울지 않으면 둘째 날에 울고,

셋째 날에 울지 않으면 넷째 날에 울고,

일주일 안 울면 여덟째 날에 눈물을 쏟아냈다.

결국 단 한 순간도 내 마음이 괜찮았던 적은 없었던 것 같다. 울지 않으면 괜찮은 줄 알았다. 감정은 시도 때도 없이 찾아온다. 언제 올지 모르는 어느 순간처럼.

세상에서 가장 소중한 사람이 떠나니 그 어떤 인간관계도 놓아 줄 수 있었다.

내 곁에 누군가가 다가오면 그 사람이 너무 소중해질까, 혹여나 또 멀어질까

또 다시 소중한 사람이 생겨버린다면 그 끝이 너무 아픈 걸 경험했기에 소중해지기 전에 내가 손을 놓아버리는 것 같았다. 가까워지지 않고 멀리서 그 사람들을 응원해줄 수 있다면 그거면 됐다.

일상엔 네가 속해있지 않은 줄 알았다.

　내가 밥을 먹어도, 내가 잠을 자도, 너랑 함께 먹던 밥이 같이 잠자
는 모습을 보며 웃고 사진을 찍어보며 잠드는 그 밤이 없어지는 삶이
될 줄은 몰랐던 것이다. 사람이 사람에게 스며들어 서로의 삶에 속하
고 그 익숙함이 사라진다는 허전함이 얼마나 큰 것인지 그 자리를 잃
고 나서야 깨달았다.

　다른 약속으로 너를 미루지 않고
　조금 더 많은 시간을 함께하고 다녔다면 덜 후회했을까?

　우리가 사이가 좋지 않아서 별로 친하지 않았다면
　이 정도로 아프진 않았을까?

　여러 가지 생각도 많이 했다.

　둘 중 어떤 상황에서도
　내 곁을 떠난 너를 계속 그리워하는 것은 똑같았을 것이다.
　내 자신이 생각이 많다고 느끼지 못했지만 시도 때도 없이 여러 생
각이 들었다.

　너와 함께하던 때,

너와 지내던 그 모든 날들,

마지막까지 함께한 모든 순간까지

다 후회가 될 뿐이다.

계속 그리워지는 장소가 있는 줄 알았다.

계속 그 장소가 생각이 났고,
장소에 대한 그리움이 크게 남은 줄 알았다.

아니더라

그 장소를 가도 그때 가던 내가 아니기에
같이 있던 사람이 다르기에

결국 마음은 채워지지 않고
그때의 흘러가던 시간
그때 같이 있던 사람
그때의 나를

장소가 아닌 지나간 그날을 그리워하고만 있다. .

조금 더 예쁜 말을 많이 해줄 걸

아직도 너에게 들려주고 싶은 얘기와 해주고 싶은 얘기가 많다.

바램이지만 내 모든 얘기도 들어줬으면 한다.

같이 먹자던 음식들,
놀러 가자 했던 모든 장소들,
가지고 싶어 했던 모든 것들,

지금 생각해보면 다 해줄 수 있었다.
그때의 내가 왜 너를 미뤘을까 같이 많은 얘기를 나누면서 너의 소소한 일상도 다 들어봤으면 얼마나 즐거웠을까... 너와 내가 마지막이라면 넌 나에게 어떤 말을 해주고 싶을까,

묻고 싶고 듣고 싶은 말들이 너무 많았다.
난 뭐가 그리 바빴다고 집에 언제 오냐는 너의 연락에 느리게 답을 했을까.

이별 노래에 별다른 감정을 못 느끼던 나는 모든 노래가 내 얘기 같았다.

매 순간 미래만 보던

나의 시간은 아직까지도 멈춰있다.

소중한 사람을 대할 땐 진심으로, 그리고 연극은 언젠간 끝난다.

처음엔 누구든 잘해줄 것이다.
마치 떨어지면 안 될 이슬처럼 세상에 모든 부분들을 다 줄 듯이 대하더라

사람들을 챙겨주는 것이 너무 좋았던 내 자신이다. 내가 무언가를 선물로 주었을 때 좋아할 상대방의 마음들이 생각나서 뿌듯하고 지인에게 주고 싶은 게 생겼을 땐 바로 선물로 줬다.

좋은 얘기를 해주고 싶을 땐 해줘야 했고,
모두가 예쁜 말만 들었으면 했고,
감정적으로 힘들어하거나 슬퍼하면
내 시간이라도 감정이라도 희생하며 풀어주고 싶었다.
내 주변이 힘든 건 원치 않았다. 그렇게 위로해주다 상대방의 힘듦이 날 집어삼킬 땐 나 혼자 마음을 돌이켜야 했다.

사람의 '진짜 모습'은 가까워지며 또는 시간이 지나면 보인다.

초반에 나를 맞춰 서로 닮아있던 모습이 시간이 흘러
자신의 말투가 달라지는 것도 모른 채
자신의 '진짜 모습"으로 돌아가고 있었다.

변한 모습에 대한 얘기를 나누면 자신의 '원래' 모습이라며 나오는
달라진 말들
그런 자신의 모습들을 이해 못 하냐며 나오는 태도
만났던 처음이 그런 모습이라면 소중한 사람으로 생각하지도 않았
을 텐데 시간이 지나야만 모든 사람들의 '진짜' 모습을 볼 수 있다. 상
대방의 모습이 내가 되고 싶지 않으면 멀리 해야 한다. 주변에 둔다면
나도 그 모습을 닮아간다. 나도 가치관을 나누고 같은 시간을 보내야
하니 영향이 없을 수는 없다. 좋지 않은 인연을 끊어내게 된다.

그 사람들이 소중한 사람을 대하는 "진짜 모습'을 알았으니 나와 맞
지 않으면 정리를 할 것이다.

마음의 준비를 하고 얘기를 해야 하는 사람이라면 안 해도 되는 얘
기다. 그냥 편하게 얘기를 할 수 있는 사람과 대화를 해라.

대화를 할까, 말까, 라는 고민을 한다면 안 해야 좋다고 한다. 그건

당연한 얘기인 것 같다. 일시적으로 같이 있으니 이 얘기도 알려줘 볼까? 라는 가벼운 마음이 들 것이다. 내 얘기를 해주고 싶은 사람은 어쩌다가 얘기가 나오는 것이 아닌 얘기를 해주려고 만남을 가진다. 대화의 흐름이 무겁고 답답한 사람이 있다. 무슨 얘길 들어줘도 어떠한 얘기를 나눠도 흐름이 멈춘다. 내 자신도 들어주기 불편해지고 어떤 주제의 대화를 나눠도 마음에 돌 하나가 끼워진 채로 대화를 나누는 것 같다, 그리고 이렇게 다른 사람에게 내 얘기를 해줬어도 후회는 내가 했을 것이다.

-당연해져도 된다. 하지만 고마움은 알아줘야 했다-

친구들에게 선물을 줘도 좋았고 무언가를 사줘도 좋았다 같이 있는 모든 순간이 행복하고 즐거웠다. 친분이 있으면 생일 선물은 꼭 다 챙겨줬던 것 같다. 돈이 없다면 내가 내줘도 생색을 내진 않았다. 시간이 지나 나는 사소한 것부터 느낌을 받기 시작했다. 슬슬 고마워하지 않는 태도, 본인이 없어도 내가 당연하게 사 주겠지, 라는 그런 분위기, 말로 하지 않아도 알 수 있었다. 고맙다 한마디가 없던 그때의 우리 사이는 서서히 멀어져만 갔다. 생일 선물을 바라진 않았어도 축하한다는 말이라도 제대로 해줄 줄 알았던 내 마음과 달리 너는 내가 챙겨주는 것을 받는 것만 당연했던 것이다.

-인간관계는 의식할수록 좋았다-

'가만히 곁에 있어 주는 사람이 최고다.' 라는 말은 서로가 서로한테 그런 사이여야 가능하지 않을까 싶다. 주변 지인들을 소중히 하고 챙기면 챙길수록 더 좋고 돈독한 사이가 되었다. 내 친구가 아프면 걱정이 되고 힘들면 만나서 얘기를 들어주고 싶었다. 사람마다 힘듦의 기준은 다르니까 누가 더 힘들다 이런 생각은 더욱 안 해왔다. 내 주변 모두가 존중받는 느낌을 받았으면 했다. 남이 너에게 해롭게 할지 몰라도 너는 내 최고의 지인이고 멋진 사람이라고 주변 영향으로 아파하지 않았으면 했다. 처음에 봤던 내 지인의 모습들은 다 빛나고 예뻤고 행복하게 웃을 땐 활짝 핀 꽃처럼 밝고 아름다웠다. 내 주변 모두가 아프지 않고 행복했으면 좋겠다. 서로에게 서운하면 얘기를 해주고 더 예쁘게 모두를 챙겨주고 싶다. 내 인간관계를 의식하며 모두를 다독여주고 싶으니 기대도 된다.

-만나고 헤어졌을 때 내 기분이 좋지 않다면 멀어질 것-

사람과 사람 사이에 전달되는 에너지의 힘은 크다. 밝고 긍정적인 에너지를 가진 사람을 만난다면 같이 있는 나도 그 에너지를 받아 가고 부정적이고 화가 가득한 사람을 만나면 나도 그 에너지를 나눈다. 세상을 보는 시선이 일시적으로 예민해진다. 평소라면 신경을 안 쓸 일도 왜 저러는 것인지 불편한 마음을 가지게 될 것이고 자극적인 자극을 따라간다. 밝은 에너지와 웃음이 가득한 사람과 함께한다면 불편한 상황이 와도 기분 좋게 넘겨지고 웃음만 가득해진다. 헤어질 시간이 되어도 다음 만남을 기대하게 된다. 온종일 좋은 일이 가득할 수 있다.

-시간이 흘러 남을 인간관계는 따로 있다-

그릇도 시간이 지나 녹슬고, 금이 가면 결국은 어느 한 곳에 새어나갈 틈이 생긴다. 사람의 관계도 어느 날은 조금 가까워지고 또 다른 날엔 거리가 생기듯 모든 관계 틀에서 새어 나가고 지나간다. 그 어떤 것도 유지될 수 없는 것이다. 가까워지지 못해도 시간이 흘러가는 대로 받아들이고 일상을 보내다 보면 내 삶은 그에 맞는 인간관계를 유지할 것이다. 서로에게 좋은 영향을 받고 자신을 편하게 해주고 마음이 단단한 사람들만 남아있을 것이다.

-같이 있을 때 가장 나다워지는 사람을 곁에 둘 것-

　사람들을 만나다 보면 그 사람을 닮아간다. 나쁜 것만은 아니다. 그 사람이 하는 글쓰기를 내가 할 수도 있고 봉사를 좋아한다면 같이 봉사도 하고 말투에 비속어가 없으니 나도 쓰지 않게 된다. 가끔 다른 사람은 내가 변해야 하는 사람이 있다. 마치 내가 연극을 하듯이 경직되는 사람, 같이 있는 이 공기가 무겁고 시간이 가지 않는 사람 내 편한 모습을 보여주기 불편해진다. 결이 맞지 않다면 자연스레 멀어질 것이다. 상대방과 있을 때 내 모습이 긍정적이고 좋아진다면 꼭 곁에 두어야 한다.

-인간관계는 완성되지 않는다.-

"이 친구랑은 평생 가야지 저 친구랑은 친해질 수 없겠다."
살아오면서 한 번쯤은 생각해봤을 거다.

시간이 많이 지난 지금은 왜 그런 생각을 했다 싶다.

마치 흐르는 바닷물에 모래들은 지나가는 인간관계와 같고
조금 오래 머무는 자갈들은 붙어있다가도 떨어지게 된다.
그때의 환경과 시간 속에 남은 인간관계와 같다.

혹시라도 미역처럼 얽혀 긴 기간을
붙어있어도 마지막은 떨어지게 된다.

모두가 각자의 위치가 있는 것이다.

내가 미용에 관심이 많을 땐 내 주변엔 미용을 하는 지인이 많아지고 만나는 횟수도 늘었고 같이 운동을 하는 친구들이 생기니 그땐 운동하는 친구들만 만나왔다. 마치 대학교를 다닐 때 종강하면 친구가 아니고 개강 때만 친구가 된다는 유머러스한 글이 생각난다. 각자의 환경과 때에 맞는 인간관계가 있는 것. 3년 지기 친구여도 3년 전의 나와 지금의 나는 많이 달라져 있다. 그 친구도 3년간 나와 다른 환경

과 시간을 보내다 보니 만남이 사라지고 한 달 전 나는 매일 만나며 가까워진 새로운 친구가 생겼다. 나에겐 완성된 인간관계는 없었다.

무너지는 건 순식간, 다시 올라오는 건 쉽지 않았다-

주변의 소리가 너무 시끄러울 때가 있었다.

가만히 방에 있어도 울리는 모든 말들이
머리를 지저분하게 만들었다.

말과 글은 다시 담을 수 없다는 말이 맞다.

내가 무너질 땐 머리엔 물음표와 느낌표가 가득했다.

슬픔, 힘듦, 괴로움, 화남
내 감정도 인지하지 못한 채로 시간을 보냈다.

어느 방향으로 내가 이리 슬픈지,
어떤 점 때문에 이리 마음이 막히는지,
어떤 생각을 하고 있는지,

아무도 없는 섬에 간다면
내가 '나'를 인지하지 않고 있는다면
까먹지 않을까? 현실을 생각하지 않을까?

내 존재를 지워버리고 싶던 적도 있었다. 사람들이 하는 그 어떤 말을 안 들으려고 해도 나는 봐버렸고 기억 속에 계속 남아있었다. 지워지지 않는 아픔 속에 또 다른 칼날이 들어오는 건 말로 표현할 수가 없었다. 몇 초 만에 쓴 글로 평생을 아파할 사람이 있다. 주변 모두가 날 위로해주고 챙겨줬고 내 자신은 나아질 노력을 해야 했다.

힘듦과 불안한 마음을 내 자신이라도 알고 느낄 수 있는 것도 축복이다.

힘든 일이 있을 땐 자신이 힘든지 모르고 시간을 보내는 사람들이 대부분이다. 남을 챙겨주고 남이 슬퍼하면 그 마음을 알고 위로해주지만 진작 어제의 내가 힘든지 오늘의 내가 지쳐있는지 인지하지 못한다. 가끔 울컥하는 마음이 들 때면 이제 곧 내가 지쳐서 울 때가 되었구나, 한동안 내가 모르고 지나친 힘들어했던 일이 있구나 자주 느끼고 인지하려 한다. 내 자신마저 내 마음을 모른다면 그 누구도 챙겨줄 수 없을 것이다. 오늘 나는 나를 챙길 수 있음에 감사하다.

-나를 만들어준 모든 것-

  지난 세월들을 다시 돌이켜보면, 지금의 나를 만들어준 건 어떤 것들일까 돌이켜 생각해보았다. 과거의 일들 하나하나 그때를 생각하면 아무것도 못 할 것 같았고 지금 생각해보면 아무것도 아닌 것들이 많다.

  상처도 받고,
  눈물도 흘려보고,
  화도 내보고,
  눈치도 보고,

  왜 타인에게 비친 모습만 신경 쓴 것인지.

  남한테 상처받을 필요는 없다. 여러 계기로 성장할 수 있는 때에 하염없이 작아진 내 모습을 보여줄 필요는 없다.

  그 계기로 난 스스로 성장할 수 있고 지금의 '나'를 만들어준 것이다.
  힘든 나날도 많았지만 오늘도 고생했다고 잘하고 있다고 말해줄 것.

'수고했다. 나에게'

-연락을 주는 사람들만 있어도 참 좋은 삶을 살아왔구나 싶다.-

내가 조금이라도 기운이 없을 때,
티 내지 않아도 만났을 때 눈빛으로 바로 알아챌 때,
내 일상을 공유하면 바로 연락이 올 때

여전히 나를 챙겨주는 사람은 많고 밥은 잘 챙겨 먹었는지, 오늘 하루는 어땠는지 물어봐 주는 모두가 있어서 허무한 하루를 보내진 않는다. 햇살처럼 빛을 주며 진심이 담긴 말들 속 나는 다른 마음의 무게를 경험한다.

마음에 쌓인 무거운 돌들 사이
햇살을 비춰주니 빛나는
보석들만 가득했다.
내 마음의 무게는 그냥 돌들이 아니다.
빛나는 보석들이었던 것.

마음의 무게가 똑같아도 빛나는 보석이 담겨 있다는 것을 아니까 한결 나아진 하루를 시작하거나, 한결 가벼워진 마음으로 잠에 든다. 그런 말 하나하나가 나한텐 큰 보석함이 되었다, 반짝반짝 빛이 나고 소중하니 그 순간을 담아 잘 가지고 있다가. 그대들 마음이 무거워질 땐 내가 햇살을 비춰주고 돌이 아닌 보석함이 있다고 알려줄 것이다. 내

하루를, 마음을 알아준 그대들을 보며 나는 오늘도 의미 없는 삶을 보내지 않았음을 느낀다.

-위로를 해준 모두에게-

모든 마음을 담아 전해주고 싶다. 너무나도 고마웠다.

힘든 일이 생겼을 땐 모두가 위로를 해 주던 방식은 다르지만 내가 힘들어하는 상황에 무엇이라도 해주려는 그 마음은 같았다.

시간을 주며 위로를 주는 사람,
물질적으로 위로를 전하는 사람,
말로 위로를 전해주려는 사람,

모두가 나에게 해줄 수 있는 것을 다 해주려 했다.

한 명도 빠짐없이 고마운 사람들이다. 내가 받아들일 수 없는 시간 속 나에게 시간이 가고 있음을 느끼게 해줬고 텅 빈 내 마음을 조금이라도 채워주려 했던 모두가 평생 고마울 사람들이다. 내가 제일 낮아질 때 함께하고 응원해주던 목소리들도 한 마음속에 담겨 있다. 사람과 사람 사이의 모든 말들, 응원의 힘은 정말 무시할 수 없는 힘이다. 뭣도 아닌 존재일지 모를 사람 한 명인 나를 일으켜줘 너무 고맙다고 모두에게 알리고 싶다. 앞으로도 내 주변의 행복을 빌어줄 것이다.

너는 그 누구에게도 닿지 못할 별이 되었다.

많은 사람들이 하늘을 보며 기도해 주고,
너를 바라보며 얘기도 나누고,
시간은 흘러가고 있음에도 반복의 연속이다.

그때의 시간이 돌아오면서 너를 더욱더 그리워하는 사람들이 많아
졌다.
위로를 받아오고 얘기를 나누던 너의 지인들은 일상 속에서 너를 찾
고 있다.

위로를 받기만 하고 위로해 주지 못해서,
연락을 더 많이 하질 못해서,
너의 얘기를 더 들어주지 못해서,
모든 진심을 이제야 얘기해서,
앞으로 함께하지 못해서,

모두가 후회하고, 고마워하고, 미안해하고, 그리워한다.

남에게 용기를 주고 힘을 주던 네가 되어주어서 정말 자랑스럽다.
그런 네가 내 가족이고 하염없이 예쁘고 빛나는 아이기에, 꿈을 위해
열심히 살아가던 너라서 꽃이 활짝 피지도 못하고 져버린 것이 너무

아픈 것 같다. 너의 내일도 1년 후도 모두가 궁금해하고 미래의 시간 속에 없는 네게 많은 편지들을 보낸다. 영원히 오지 못할 답장인 것을 알지만.. 네게 연락을 하고 들어주길 바라며 많은 얘길 남겨둔다. 네가 좋은 사람이니 주변 모두가 꽃밭이더라.

하늘에 아주 밝게 빛날 별이 필요했나 부다.

수고했어. 모든 날을. 밤하늘 제일 빛나는 별로 비춰주길 바라.

행복한 라디오

문효진

문효진　단순한 삶을 지향하지만 이번 생에선 틀린 것 같다. 대신에 자연, 사람, 자신 내면의 목소리에 경청한다. 그리고 자신만의 방식으로 정리하며 살고자 한다. 행복도 꿈도 그러하다.

누구나 가슴 속에 품고 살아가는 '행복이란 무엇인가' 라는 질문을 이 글을 통해 구체화해보고 실현시켜 나간다.

세상 앞에 위축된 사람들에게 행복이란 그저 좋아하는 것을 적극적으로 추구하며 즐기는 것 뿐이라는 메세지를 전한다. 작가도, 이 글을 읽고 있는 당신도 지금 바로 행복해지기를 응원한다.

[행복1 사진 한 컷]

평범한 일상 속 소소한 행복 찾기 '행복한 라디오' 시작합니다. 오늘 아침 선선해진 공기를 여러분들도 느끼셨나요? 완연한 가을 날씨에 무더위로 지친 몸과 마음이 씻겨 내려가는 기분이 들기도 하네요. 신선한 아침을 시작으로 이유 없이 절로 기분 좋아지는 그런 하루가 되시기를 바라는 마음으로 아이유의 '가을 아침' 상쾌하게 듣고 가실게요.

아이유의 가을 아침을 들으면 이 동요가 떠오릅니다. '바람이 머물다간 들판에 모락모락 피어나는 저녁연기. 색동옷 갈아입은 가을 언덕에 빨갛게 노을이 타고 있어요.' 노을이라는 동요인데요. 가사를 보면 저절로 머릿속에 그려지지 않으세요? 노을 진 가을 풍경, 가을은 유난히 알록달록 고운 색들로 가득 찬 계절이어서 그런지 사진을 많이 찍게 되나 봅니다. 아름다운 풍경, 아름다운 사람, 아름다운 일상을 많이 남겨보시길 바라요.

[행복2 1000원짜리 행복]

가을 하면 무엇이 떠오르시나요? 무엇을 떠올리면 기분이 좋아지시나요? 저는 파란 하늘, 코스모스, 노랗고 빨간 단풍, 감이 익어서 홍시가 되어가는 감나무가 떠오릅니다. 지난 여름에는 시원한 바다 여행을 갔다면 이번에는 산으로 가고 싶어지는 그런 기분이 들기도 하네요. 어떤 분이 가을 하면 자고로 대하의 계절이 아니냐며 웃음을 주고 가셨네요. 맞습니다. 가을은 대하가 살이 통통하니 단맛이 일품이죠. 이 노래를 들으면 라면에 대하를 넣고 싶어질걸요? 악뮤의 '라면인건가'.

노래를 감상하시면서 라면에 대한 추억들이 많이 떠오르시나 봅니다. 올려주신 댓글을 읽어볼까요? 소소하라님 '저는 라면 하면 일요일 아침이 떠오릅니다. 제 가족은 일요일 느지막한 아침에 일어나서 다양한 브랜드의 라면을 한데 끓여놓고 둘러앉아 먹는 저희만의 전통이 있었어요. 마지막에는 찬밥까지 부어서 라밥을 즐기곤 했답니다. 저에게 라면은 맛 가성비 그 이상의 즐거움입니다.

민지디님 '저는 라면을 참 좋아하는데 남편은 라면을 별로 안 좋아해요. 어떻게 그럴 수 있죠? 라면은 밀가루 음식에 조미료 덩어리라며 줄이라고 하네요. 남편은 치킨을 너무 사랑합니다. 튀긴 것도 몸에 안 좋으면서 저한테 잔소리하는 게 너무 웃긴 것 같아요. 남편은 치킨을 좋아해서 치킨쟁이 저는 라면쟁이라는 별명을 서로 붙여주었답니다.'

저는 단언컨대 라면이 최고의 음식이라 말하고 싶네요. 저렴한 가격에 한국인의 입맛에 아주 제격이잖아요. 김치를 그렇게 많이 먹게 하는 음식이 또 있을까 싶어요. 종류도 비빔라면, 짜장라면 맛도 다양하니 골라 먹는 재미도 있는 것 같습니다.

[행복3 P가 되고 싶은 J]

요즘 젊은 세대 중에서 MBTI를 해보지 않은 사람은 별로 없는 것 같아요. 나와 타인에 대해 이해도 할 수 있는 유익한 심리검사인 MBTI, 같은 유형의 사람들은 구구절절 말하지 않아도 그들만이 느낄 수 있는 감정과 공감대가 있다지요. 여러분은 어떤 유형이신가요?

해피문데이님 사연입니다. '저는 ISFJ인데 내향과 외향은 거의 중간이고 감정형과 이성형도 정확히 중간 형태로 나오더라고요. 극으로 치우치지 않는 저의 성향에 만족하는 편입니다. 문제는 J 중에서도 극 J

여서 완벽한 계획을 추구하는 삶이 피곤하게 느껴질 때가 많다는 겁니다. 예를 들면 친구랑 약속을 한날에 저는 늦는 경우는 거의 없거니와 설사 늦더라도 미리 연락을 주는 편인데 늦게 온 친구가 특별한 이유 없이 나를 무작정 기다리게 한다면 분노가 올라오곤 합니다. 계획에 철저하단 건 스스로 불필요하게 엄격한 기준을 두게 되는 것 같아 괴롭다고 생각하는 요즘입니다. 조금이라도 엇나가는 과정이 보이면 스트레스를 많이 받곤 해서 최근 들어 P처럼 살아보는 연습을 해보고 있어요. 듬성듬성 짜놓은 일정으로 여행을 가보기도 하고 매일 시간 단위로 움직이는 것 대신 일주일 혹은 한 달 단위로 중요한 것만 작성해놓고 살아보기도 했어요. 예상치 못한 상황에서도 즐길 줄 아는 여유, 마음먹은 대로 흘러가지 않는 삶 속에서도 요동하지 않는 담대함을 주는 일은 계획대로 사는 것이 정답이라고 단정 지었던 인식에 변화를 주었습니다. 때로는 무계획으로 살아도 괜찮구나, 친구가 늦장을 피워 지각하더라도 기다리는 시간을 버리지 않고 즐길 수도 있구나, 라는 유연함이 생기게 된 것 같아 저 자신이 기특하게 느껴집니다.'

저는 INTJ, 내향적, 직관적, 이론적, 계획적이라고 결과가 말해주는데요. 수치를 보면 J가 엄청 높게 나오더라고요. 그래서 사연을 보내주신 분이 어떤 마음이었는지 너무 잘 알 것 같아요. 저도 완벽주의 성격이어서 피곤할 때가 많거든요. 나머지는 곧잘 해왔어도 하나를 못하면 마음이 쓰이고 스트레스받고 사람이 되게 초조해지고 강박적이게 되는 그런 기분이잖아요. 아는 지인 중에 의식의 흐름대로 사시는 분이 많아요. 인식형인 P형 중에는 실수에 크게 괘념치 않고 빨리 넘기시는 굉장히 쿨한 면모를 보이는 모습들이 많죠. 무책임하다는 것이 아니라 과잉 자책할 필요가 없다는 의미입니다. J이건 P이건 완벽하지 않다고 자신과 주변을 비난하지 말고 현재를 누리시길 바라요. 어설퍼도 충분히 행복할 수 있으니까요.

사연을 보내주신 해피문데이님처럼 살다 보면 가벼운 실수에는 웃으며 넘길 줄 아는 여유가 필요하지요. 그러나 그게 또 말처럼 쉽지는 않은 것 같습니다. 실수, 실패…'失'이라는 한자가 잃다, 놓다, 달아남을 뜻하는 의미라고 하는데요. 그래서 그런지 '실수, 실패'라는 단어가 사람을 움츠러들게 만드는 무언가가 있는 것 같습니다. 저명한 발명가 에디슨의 실패는 성공의 어머니라는 명언을 어렸을 때부터 지겹도록 많이 들어왔었지만 다른 세계에 있는 사람만이 가능한 행동양식처럼 느껴지기도 합니다. 하지만 우리 이제 알잖아요. 실수가 없는 사람은 없고 실패가 없는 금메달리스트는 세상에 없어요. 잘 걸어가다가 삐끗해서 넘어지는 해프닝은 시간 지나면 안주 삼아 이야기하는 웃음거리가 되기도 했잖아요. 꾸역꾸역 마음의 짐을 이고 가지 말고 '행복한 라디오'에서 털어버리고 가벼워지는 시간을 가져보시는 건 어떨까요?

비비안님 '복세편살이 어려운 1인입니다. 복잡한 세상 속에서 어떻게 편하게 살 수 있을까요? 이제 대학교도 곧 졸업을 앞두고 있는데 지원하는 회사마다 불합격 소식만 듣게 되니 차라리 대학원으로 진학할지 고민도 하고 있어요. 대학원에서 공부를 이어 나가면 취직 걱정은 조금 더 미룰 수 있지 않을까 해서요.'

비비안님, 힘든 시기를 보내고 계시네요. 복세편살이 어렵다는 말에 진심으로 공감합니다. 어떻게 복세편살이라는 말이 탄생하게 되었는지 모르겠지만 어쩌면 그 말을 만들어 낸 누군가도 힘든 상황을 극복하는 것이 힘들기 때문에 한 말은 아닐까 조심스럽게 생각해봅니다. 말이라도 시원하게 내뱉어 보는 심상인 거죠. 힘든 시기를 잘 극복하시고 행복한 일을 찾으셨으면 좋겠네요.

까치오리발님 '올해 신년 목표로 꼭 금연에 성공하리라 다짐했지만 벌써 가을이 오도록 끊지 못하고 있습니다. 딸의 성화에 못 이겨 집에서는 참아보는데 회사에 가면 동료들이랑 일하는 도중 담배 타임을 갖는 시간이 저에게는 힐링이었거든요. 그 시간을 포기하자니 씁쓸하기도 하고 외톨이가 되는 기분도 듭니다. 금연 성공할 수는 있을까요?'

신년 목표로 금연 계획 세우시는 분들 많으시죠. 담배는 끊는 게 아니라 평생 참는 거라고 하더라고요. 그만큼 끊기 힘든 게 담배이니까 우리 따님분도 조금만 이해해 주시고 옆에서 응원 많이 해주시면 성공하는 날이 올 거라 믿습니다. 가장 중요한 건 까치오리발님의 건강이니까요. 건강을 잃으면 다 무슨 소용이 있겠어요. 담배 타임 말고 새로운 힐링거리를 찾을 수 있기를 바랍니다.

런어웨이님 '며칠 전에 3년 사귄 남자친구와 헤어졌습니다. 그 자식이 바람피우는 장면을 보고 말았거든요. 실수라며 한 번만 용서해달라고 빌더라고요. 이미 신뢰가 깨진 상태에서 억지로 붙인다고 한들 없던 일이 될까요. 다시 연애했던 3년 동안 크게 싸우지도 않았고 진심으로 좋아했었는데 이제 사랑을 할 수 있을지도 의문입니다. 아직도 힘들기는 하지만 그래도 힘이 되었던 건 제 친구가 있었기에 정신 차릴 수 있었습니다. 같이 전 남자친구 욕해주고 본인 일처럼 위로해 준 친구가 정말 소중한 사람이었다는 사실을 새삼 깨닫게 되었습니다.'

바람을 실수라고 말하기에는 전 남자친구분의 말이 적합하지 않은 것 같은데요. 바람은 신뢰를 회복할 수 없는 선을 넘어버린 행동이잖아요. 런어웨이님께서 사랑 때문에 크게 아프셨지만, 옆에 좋은 친구가 있어 빨리 떨치고 일어나실 수 있을 것 같아요. 런어웨이님의 친구분은 이런 마음이지 않았을까요? '*너랑 있을게 이렇게 / 손 내밀면 내가 잡을게 / 있을까, 두려울게 / 어디를 간다 해도 우린 서로를 꼭 붙잡고 있으니*' 런어웨이님을 위해 이 곡을 들려드리고 싶네요. 선우정아의 '도망가자'

[행복4 이미 사랑받고 태어난 사람]

저게 저절로 붉어질 리는 없다.
저 안에 태풍 몇 개
저 안에 천둥 몇 개
저 안에 벼락 몇 개
저 안에 번개 몇 개가 들어 있어서
붉게 익히는 것일 게다.

저게 혼자서 둥글어질 리는 없다.
저 안에 무서리 내리는 몇 밤
저 안에 땡볕 두어 달
저 안에 초승달 몇 달이 들어서서
둥글게 만드는 것일 게다.

대추야
너는 세상과 통하였구나.

장석주 시인의 '대추 한 알'이라는 시를 보면 대추나무에서 하나의
열매를 맺기까지 온 세상이 관여하고 사랑을 주어야 가능했음을 느끼

게 해주는 것 같아요. 온 세상을 넘어 온 우주가 연결된 것처럼 대추 한 알에 압도당하는 기분까지 들기도 합니다. 대추라는 작은 미물에도 이만큼의 정성으로 예쁜 열매를 맺는 일일 텐데 하물며 사람이라는 존재는 어떠할까요? 여러분 한 사람, 한 사람 모두 그 자체로써 이미 온 우주의 관심과 사랑을 받고 태어난 사람이라는 것이 느껴지시나요?

알로하님 '저는 연애가 세상에서 제일 어려워요. 감정 소모를 많이 하는 편인 것 같아요. 돌이켜보면 별거 아닌데 사소한 것에도 서운함을 느끼고 말하자니 속 좁은 사람처럼 느껴져서 입을 다물게 되더라고요. 저의 반복된 행동에 남자친구는 지쳐 이별 선고를 하고 말았습니다. 이별하는 날, 남자친구는 저에게 너 스스로를 사랑했으면 좋겠다고 말하더군요. 그 당시에는 그 말의 의미를 몰랐습니다. 시간이 지나 헤어짐에 대한 배신감과 원망이 조금씩 누그러지면서 스스로 사랑하라는 말을 곱씹어봤어요. 아마도 대수롭지 않은 것 하나하나에 서운함을 느끼는 저 자신이 싫었고 말로 표현하면 제가 싫어하는 모습이 들통나서 사랑받지 못할까 봐 그랬던 것 같아요. 사랑하는 사람한테 실망을 안겨주는 일이 무서웠거든요.'

사랑받지 못하는 것이 무섭다고 이야기해주신 알로하님, 남자친구의 말을 묻어버리지 않고 용기 내서 마주하는 모습이 저는 용기 있다고 생각하는데요? 알로하님께 제일 중요한 사람은 남자친구가 아니라 알로하님이시잖아요. 알로하님의 마음을 이해하고 원하는 것이 무엇인지 알아가는 것은 결코 사소한 것이 아니라고 전해드리고 싶네요. 서운함을 느끼는 건 알로하님께서 어떤 부분에서 불편함을 느끼셨다는 건데 그 불편함을 묻어두지 않으셨으면 해요. 스스로를 위해서 말이죠. 알로하님을 진정 사랑하는 분이시라면 마땅히 존중해주실 거라고 생각해요. 분명 다음에는 알로하님을 더 사랑하는 좋은 분을 만나실 겁니다.

리니맘님 '저는 6살 딸아이를 키우고 있는 워킹맘입니다. 사실 엄마인 제가 자존감이 매우 낮은 편이어서 그런 저의 모습을 아이가 닮아갈까 봐 두려울 때가 많습니다. 아이는 저와 달리 어디서나 자신감 있고 쉽게 좌절하지 않는 밝은 아이로 커 줬으면 하거든요. 하지만 요즘 들어 아이가 '나 싫어하지?'라는 말을 자주 사용하는 것 같아요. 워킹맘이라 아이랑 잘 못 놀아줘서 그런 건지 조금만 훈육해도 자꾸 자기를 싫어한다고 말하는 딸아이 때문에 가슴이 아픕니다. 좋은 엄마가 되는 게 버겁게만 느껴지네요.'

워킹맘의 가장 큰 고민거리를 말씀해주셨네요. 아이와 함께 시간을 보내기가 현실적으로 쉽지 않아서 죄책감을 가지는 부모님들이 참 많으시더라고요. 그런 리니맘님의 마음을 따님에게도 자주 말씀해주세요. 어린아이들도 어머님의 마음을 이해할 수 있는 능력이 충분히 있습니다. 훈육할 때도 너를 싫어하는 게 아니라 사랑해서 말해주는 거라고 이야기해주시면 아이도 잘 받아들일 수 있을 거예요.

리니맘님이 말씀해주신 '자존감'이라는 말이 유행처럼 쓰이기 시작할 때가 있었지요. 요즘 세대는 많이 자유로워졌지만 우리나라가 눈치의 민족이었잖아요? 자신이 원하는 것을 하기보다 남이 나를 어떻게 생각할지에 대한 시선에 민감한 문화인 것은 분명합니다. 나를 돌보는 것에 소홀했던 사람들이 많았어요. 그래서 자존감이 나의 폐부를 찌르는 하나의 단어처럼 느껴지나 봅니다.

우리 오늘 자존감을 채우는 하루가 되어볼까요? 자기가 좋아하는 일을 떠올려 보고 그냥 해보는 거예요. 간단해도 좋아요. 일상 속에서 무엇을 좋아하는지 자신에게 한번 물어보시면 좋을 것 같아요. 저는 오늘 라디오를 마치고 인적 드문 카페에 가서 예가체프 원두로 내린 신맛이 나는 핸드드립커피에 에그타르트를 먹어야겠네요.

문다님 '집 근처에서 마라샹궈를 포장한 후 혼자 재미있는 예능을 보면서 먹겠어요'
문다님은 혼자 쉬실 때 온전히 쉼을 즐기시는 스타일이시네요. 혼자만의 시간을 충분히 만끽하시길 바라요.

코스모라님 '아이 어린이집 등원시키고 집에서 창문을 활짝 열어 환기하고 있어요. 기분까지 맑아지는 것 같아요. 좋아하는 노래를 들으면 더 좋을 것 같아요'

코스모라님이 YB밴드의 '흰수염고래'를 신청곡을 보내주셨네요. 저도 좋아하는 노래인데요. 노래 가사처럼 두려움 없이 넓은 세상 우리 같이 헤쳐 나가보아요.

[행복5 보이지 않은 길에서 희망을 놓지 않기]

평범한 일상 속 소소한 행복 찾기 '행복한 라디오' 듣고 계십니다. 다음 사연 읽어볼까요?

지니지니님 '저희는 7년 가까이 연애를 하고 부부의 연을 맺은 지 1년 정도 되었습니다. 신혼을 조금 더 즐기고 여유자금을 더 모은 후에 아이 계획을 세울까 생각도 했었는데요. 나이 많은 엄마는 되기 싫고 남편도 아이를 좋아하는 편이라 굳이 미룰 필요는 없어서 바로 임신 계획을 세웠답니다. 임신 준비 필수 영양제인 엽산도 꼬박꼬박 잘 챙겨 먹으면서 가장 완벽한 타이밍을 기다렸더니 7월 초에 임신이 되었지요. 뭔가 쉽게 생겨서 그런 건지 내게 와준 아이가 엄청 귀하다는 느낌은 아니었던 것 같아요. 물론 신기하면서도 행복했지만, 잘 준비한 만큼 당연히 임신이 된 것으로 생각했던 거예요. 너무 섣부른 판단이었죠.

아무것도 모르는 초보 예비 엄마라 임신 관련 정보를 얻기 위해 인터넷 커뮤니티카페에 가입했었습니다. 카페는 임신주수별로 방이 나누어져 있었는데 천천히 넘기면서 읽어보니 아이를 정상적으로 출산하기까지 많은 우여곡절이 있을 수 있다는 사실을 알게 되었어요. 노령의 임산부나 불임으로 시험관 수술을 하는 사람들뿐만이 아니었어요. 임신초기에 다양한 원인으로 유산이 되는 경우가 심심치 않게 보이더라고요. 괜히 글을 읽을수록 불안만 자극되는 느낌이었어요. 나는 아닐 거야, 설마 나는 아니겠지, 라며 넘겼던 것 같아요.

6주 차 검진을 받는 날이었어요. 저번 주와는 또 다른 모습으로 조금씩 자라기는 했지만, 커뮤니티 카페에서 봤던 모습은 아니었어요. 아니나 다를까. 담당 의사 선생님 표정도 굳은 채로 말씀하시더군요. 유산 가능성이 있다고 말이죠. 다음 검진 날에 태아 심장 뛰는 소리가 들리지 않으면 유산판정 날 것이라고 하셨습니다. 덧붙여 초기 유산은 부모의 잘못이 아니기 때문에 자책하지 말라고 이야기해주셨습니다. 그 당시에는 위로가 되지 않았어요. 가슴이 쿵 내려앉는 것만 같았죠. 남편은 생각보다 별말 없이 묵묵히 제 옆을 지킬 뿐이었습니다.

남편은 말없이 핸드폰만 들여다보는 저의 눈치를 보며 고민하는 듯했습니다. 가능성 희박한 희망을 주어야 하는지, 현실적인 조언으로 빨리 마음 정리를 할 수 있도록 도와주어야 하는지를 말이죠. 초산인 경우 15%의 확률로 초기에 유산되며, 유산 가능성을 진단받은 경우

임신을 유지하기가 사실상 어렵다는 것을 남편도 아는 것 같았어요. 그래도 기적이라는 희망의 끈을 잡아보며 일주일을 보냈답니다. 검진 전날 밤, 남편에게 의사 선생님이 유산 가능성에 대해 언급했을 때 어땠는지 물어보았습니다. 남편은 티는 안 냈지만 암 선고를 받으면 이런 기분이 아닐까, 싶다며 속마음을 말해주었어요. 그리고 내일 수술하게 되더라도 다음에 또 준비하면 되니 걱정하지 말라며 토닥여주더군요. 우린 그렇게 서로를 더 다독여주었고 검진 결과 유산판정으로 바로 수술을 하게 되었습니다. 처음으로 남편의 눈물을 보았네요.

　다시 혼자가 된 몸은 이상하리만큼 빠르게 회복되었습니다. 아직 더 슬픔에 젖어야 하는데 밥도 맛있고 예능은 또 왜 이렇게 재미난 건지. 마음도 아무 일도 없었던 사람처럼 평상시에는 평온했지요. 아니 평온한 줄 알았습니다. 아기를 보기 전까지는요. 길에서나 TV에서 아기만 나오면 울컥해지는 제 모습을 보면서 괜찮은 게 아니고 참고 있는 거구나 생각했답니다. 제가 아는 상담사가 상실을 경험한 후에는 애도를 해야 빨리 털어버릴 수 있다고 해주었던 말이 생각났습니다. 나를 위해, 그리고 지금은 없지만 8주간 나에게 와준 특별했던 아이를 기억하기 위해, 그리고 앞으로 다시 만날 나의 아이를 반갑게 맞이하기 위해 시를 썼습니다. 이 시를 들려드리고 싶어서 조금은 긴 사연으로 보내게 되었네요.'

내 작은 별에게

네가 아직 소망일 때
세상에 존재하지 않았을 때부터
어린 농부의 사랑을 담아 기도했단다

그리고 기뻐했단다
너의 소식을, 기다려왔던 작은 별을
설레었지 그리고 또 기도했단다
나의 불안이 너에게 닿지 않기를
너는 너인 채로 자라달라고
욕심 없이 그저 너로 만나게 해달라고

비록 비옥한 땅은 아닐지라도
급하게 거름을 주었고
맑은 물을 부었으며
익숙지 않은 사랑의 언어로
작은 씨앗이 새싹으로 돋아나기를
뿌리를 뻗어내는 고통도 즐거워했단다

잊지 않았으면 좋겠구나
꺼져가는 반짝임을 품은 채로

여전히 거름을 주었고
가물어진 땅에 물을 부었으며
눈물로 사랑을 속삭였단다

끝내 반짝임은 멈췄고 너는 길을 잃었구나
부자여스러운 긍정으로 땅을 일구어 볼게
슬픈 농부의 손으로 낙엽을 쓸고
잡초를 뽑아내어 미소로 기다릴게

조심히 돌아오렴
내 작은 별아

감히 어떤 말로 위로를 해드릴 수 있을까요. 다만 보내주신 이 시처럼 길을 잃은 작은 별이 다시 어미 품으로 돌아올 거라 확신합니다. 꼭 예쁜 아이가 생기기를 바랍니다. 그리고 제 주변에도 임신 준비를 오래 하신 분들이 많아요. 그분들에게도 조만간 좋은 소식이 있기를 응원하겠습니다.

벌써 마지막 사연이네요. 이어서 읽어볼게요.

박카스40님 '10년 동안 행정공무원직으로 일하다가 지난주에 퇴사하게 되었습니다. 퇴사하고 나니 후련함과 막막함이 동시에 느껴지네요. 저에게 꿈이 하나 생겼습니다. 아직 젊은 나이이지만 농사꾼이 되고 싶어요. 한적한 시골 마을에서 농사 일을 하면서 다양한 동물들과 함께 살아보는 게 제 꿈이에요. 꿈이라기에는 소박하지만 그래도 그 꿈을 이루면 행복할 것 같아요.'

저도 동물들을 참 좋아합니다. 동물들이 주는 행복 호르몬이 있는 것 같아요. 하지만 도시에서는 제한적이긴 하죠. 박카스40님의 꿈을 상상해보면서 대리만족해봤습니다. 처음 농사를 접하시는 분이라면 막막할 수도 있을 것 같아요. 시골에는 농업기술을 교육해주고 여러 가지 지원해주는 프로그램이 있는 걸로 아는 데 잘 찾아보셔서 성공적인 농촌 생활을 꾸려가셨으면 좋겠습니다.

어느덧 마칠 시간이 되었네요. 살면서 우리 마음대로 일이 척척 진행되면 참 좋겠지만 그렇지 않을 때가 더 많은 것 같습니다. 하지만 예상을 빗나간다고 해서 또 결과가 나쁘기만 했던 것은 아닌 것 같아요. 전화위복이라고도 하죠. 인생의 앞날을 알 수 없다고 해서 불안해하지는 않기로 해요. god의 '길'을 끝으로 인사드릴게요. 다음에 만나요!

[돌고래의 꿈]

'나는 왜 이 길에 서 있나. 이게 정말 나의 길인가. 이 길의 끝에서 내 꿈은 이뤄질까'

나는 지금 행복한 라디오에서 나오는 god의 '길'이라는 노래를 감상하고 있다. 이 노래가 발매되었을 당시에 팬을 넘어 평범한 중년들에게도 인상 깊은 노래로 뽑힌다는 것을 보면 지금까지도 꿈을 찾아 헤매고 있는 30대인 내가 그리 이상한 건 아닌가 보다. 꿈은 대체 무엇이란 말인가. 무엇인데 이토록 내가 하는 모든 것에 의구심을 들게 만들고 '이 일은 나에게 운명이다. 천직이다!'라고 생각하는 일을 찾을 것이라는 막연한 희망을 품은 채로 살아가게 하는 것일까. 내가 잘하는 것, 좋아하는 것, 적성에 맞는 것, 가치관에 맞는 것... 이미 학교에서 충분히 나를 탐색했던 시간을 가지고 성인의 시기를 맞이했을 터인데 여전히 제자리걸음처럼 느껴질 때면 나만 홀로 뒤떨어지는 느낌을 감출 수가 없다. 어차피 사는 것은 거기서 거기일 뿐이니 배부른 소리 그만하고 열심히 돈을 벌어 집을 살 생각을 해야 한다며 스스로를 채찍질도 해본다. 눈치껏 친구들의 경력 페이스에 맞춰 괴롭더라도 외롭지 않은 레이스를 펼치고 있었지만 얼마 가지도 못하고 다시 스타트 선상으로 돌아오고야 만다. 나만의 레이스를 달리고 싶은 생각을 가슴 어느 한 편에 묻어두고 한 번뿐인 인생 특별한 존재로 자기실현을 이루고자 하는 욕구가 어떤 직업 어떤 일을 해도 사그라지지 않는다면 그것은 결국 나의 문제가 아닐까. 이런 문제의식에 의기소침해져 있을 때쯤 한 번씩 '내가 가는 이 길이 어디로 가는지....' 주문을 외우듯 길이라는 노래를 흥얼거리면 나 혼자만 사춘기 어린아이 같은 고민을 하는 것은 아니라고 위로를 받게 되는 것 같다. 행복한 라디오에서 농촌 라이프 꿈을 이야기해준 사연자처럼 말이다. 꿈을 찾아 나아가는 여정이 결코 사춘기 어린아이에 국한된 꿈이 아니라고 말해주는 것 같다. 그러니 길고 긴 이 길을 멈추지 말자고 다독여 일으켜주는 것 같다.

꿈에 대한 상상이 자유로웠던 시절이 있었다. 꿈에 관해 물으면 의사 선생님, 검사, 호기롭게도 영화배우를 답한 적도 있었다. 그것도 화려한 액션배우로 말이다. 아마도 그 당시 재미나게 보았던 드라마나 영화 속 주인공이 되고 싶었던 모양이다. 나의 이미지를 상상하는 것이 자유로웠을 때는 보이기에 멋있는 주인공이 되고 싶었던 것이다.

언제부턴가 직업에 대한 자유로운 상상조차도 힘겹게 되었던 것 같다. 아마 고등학생이 되면서 대학이라는 중요한 결정을 내리는 시기에 도래했을 때부터였지 싶다. 내가 다녔던 고등학교 입시 분위기는 이러했다. 특출나게 명민하거나 대학입시에 뚜렷한 목표가 있는 경우가 아니라면 간호학과를 추천받곤 했었다. 인문 철학 분야는 해당 학과를 나와도 취업하기 쉽지 않
다는 현실적인 조언에 그저 순진하기만 했던 고3의 나는 왠지 모를 반감이 들었던 기억이 선명하게 남아있다. 지금의 나로서는 그 조언을

받아들였으면 어땠을까, 하는 생각도 해보지만 간호사가 된다고 해도 오래 못 버티고 새로운 일자리를 찾아 나섰을 것 같기도 하다.

　그 시절 나는 법학과에 진학하기로 결정했다. 법조인이 되고 싶은 목표가 있는 것은 아니었다. 정말 단순하게 내가 좋아하는 과목과 싫어하는 과목을 구분해서 잘할 수 있을 것 같은 학과를 선택하자니 결과가 법학과가 되어버렸다. 그것이 적성인 줄 알았고 흥미인 줄 알았다. 하고 싶은 직업이 뚜렷하게 없었던 내가 남들처럼 고등학생 이후 취업이 아닌 대학을 진학하기 위해 할 수 있는 최선의 선택이었다고 생각했다.

　어찌 되었든 나는 전공을 법으로 선택하였으니 다음 계획을 세워야 했다. 학창 시절부터 간간이 운동을 취미 삼아 했었고 범인을 면전에서 때려잡는 경찰의 기세가 멋있다고 생각했다. 상상 속에 경찰이 된 내 모습은 마치 영웅처럼 느껴졌다. 3학년까지 마치고 휴학을 한 후 본격적으로 경찰이 되기 위해 준비했지만, 운동을 시작한 지 얼마 되지 않아 발목을 접질리게 되었다. 그리고 접질린 곳이 또 접질리게 되었고, 2년 넘도록 발 때문에 속 썩이는 일이 많아지면서 경찰 시험 준비를 포기하기로 했다. 대신 이와 비슷한 교정직도 알아보았으나 알아보면 알아볼수록 상상 속의 나와 실제의 내 모습의 괴리감만 느껴질 뿐이었다. 어쩌면 경찰을 직업으로 삼았어도 멘탈이 약한 내가 버틸 수 있는 능력치가 될 수 있는지 생각해보았다. 멋지다고 생각한 일은 내 적성과 맞지 않는 일이라고 결론을 내렸다. 스스로 도달할 수 없기에 내린 합리화일지 의심해보기도 했지만 아무리 봐도 객관적인 이성으로 내린 판단이 분명했다.

고민만 하다가 어느새 4학년 마지막 학기가 되었다. 그 시점에 이름만 들으면 누구나 알만한 패밀리레스토랑에서 아르바이트를 하게 되었다. 고객을 상대로 일을 해본 첫 업무이었는데 생각보다 재미있었다. 내가 몰랐던 소질을 일찍이 알아봐 주었던 매니저가 진지하게 이 일을 해볼 생각이 없는지 물어보았다. 내가 생각한 직업 리스트에는 홀 매니저는 없었다. 재미는 일시적일 뿐 스스로 내성적이기 때문에 이 일과는 적합하지 않다고 생각했던 것 같다. 이 생각은 곧 변하게 되었는데 나를 찾는 단골손님이 있다는 사실을 알게 된 것이 계기가 되었다. 나를 찾는 단골손님이 있다는 것은 엄청난 감동으로 다가왔다. 그 단골손님은 내가 일이 아닌 고객에게 만족을 주는 서비스를 할 수 있도록 동기부여를 주었고 내가 앞으로 무슨 일을 하던 비즈니스가 아닌 진심을 보이는 방법을 터득하도록 만들었다. 나는 분명 사람을 좋아하지 않는데 사람에게 만족을 주는 일에 재능이 있음을 학교가 아닌 곳에서 발견할 수 있었던 것이다. 서비스직은 재미있었다. 하지만 스트레스가 많은 업무였던 것도 사실이었다. 어떠한 일에 강점을 보이는지 아는 것만큼이나 나의 약점을 알고 있는 것도 매우 중요한 일이었다. 나는 사람이 좋지만 동시에 두려운 대상이었다. 고객서비스라는 일이 강점이 되기도 하고 약점이 되기도 했다. 이제 어떤 길로 나아가야 하는지 초점이 맞춰진 것 같으면서도 가다가 끊기고 또 가다가 끊기는 느낌이었다. 길을 이어 나가려면 어떻게 해야 할지를 진지하게 고민해야 하는 시점에 온 것이었다.

사람이 왜 두려운 존재가 되어버린 걸까. 이유가 있지 않았을까. 뒤돌아보게 되었던 것이 심리에 관심을 두기 시작한 출발점이었던 것 같다. 나를 부자연스럽게 만드는 사건이 무엇이었는지 또 적응을 어렵게 만드는 요인이 무엇인지 탐색하게 되는 시간을 거치게 되면서 궁극적으로 '사람 마음'에 대한 관심으로 확장하게 되었다. 원래부터 어울려 이야기하고 교감하는 시간을 즐거워했으니까 사람 마음에 관심이 가는 것이 당연했을지도 모르겠다. 거슬러 올라가 나는 왜 처음에 경찰이 되기로 했던 건지 되짚어보았다. 단순히 멋있어서만은 아닐 것이다. 그렇게 나에게 끊임없이 직업관에 대해 질문을 쏟아부으면 보이는 것이 있었다.

'어려운 사람을 돕는 것은 보람찬 행동이고 나를 가치 있게 만든다고 느낀다. 내가 가치 있음이 충분히 느껴지는 곳에서 행복할 수 있다고 생각한다.'

꿈은 직업을 넘어 어떤 사람이 되고 싶은지에 대한 인간상까지 담는 개념이라고 생각한다. 평생직장이라는 개념이 없어진 지금 '나'에 대한 탐구했던 결과들은 결코 없어지지 않는 자산이 될 것 같다는 근거 모를 자신감이 있다.

만약 내가 미래에 꿈이라는 주제로 나와 같은 고민을 하는 누군가에게 이야기를 해준다면 스스로 어떤 사람인지에 대한 심도 있는 고민과 확신을 가지라고 말해주고 싶다. 알게 되는 과정이 다소 길어질 수도 있다. 심지어는 나도 몰랐던 내 모습을 발견하고 길을 바꿀 수도 있다. 지금의 나와 미래에 되고 싶은 인간상을 일치시켜 나가는 것이 꿈이 주는 행복이라 믿는다. 그렇기 때문에 내가 경찰, 홀 매니저, 심리상담 관련 업무 이외에 그 어떤 일을 하더라도 타인이 나로 인해 만족감을 느끼고 긍정적인 피드백으로 채워진다면 나는 내 일에 가치를 느끼고 행복할 수 있는 길을 걸어가고 있을 것이다. 직업이 아니어도 취미, 봉사, 양육 등 다양한 활동을 통해서 '나'라는 존재를 든든히 세워나갈 수 있다. 그러니 내가 살아왔던 인생의 어느 한 장면이라도 무가치하게 느껴서는 안 될 것 같다. 나를 지탱하고 있었던 과거의 나를 존중하는 것만이 앞으로 나아가는 모든 길에 확신과 신뢰로 내디딜 수 있지 않을까.

누구는 말했다. 이미 새로운 길을 간다는 것은 시기적으로 늦었다고 말이다. 하지만 과연 0에서 출발하는 새로운 길이기만 할까. 나는 새로운 길이라고 해서 낯선 길이 아니기에 빠르고 단단하게 나아갈 수 있을 것이라는 예감이 든다. 지금까지 다양한 경험과 증명해 낸 나의 노력은 개별적인 것이 아니라 하나로 이어진 결과물의 집합체이다. 결과물들이 연결되어 하나의 큰 그림이 되는 것, 그 큰 그림을 볼 수 있는 꿈꾸는 사람이 되고 싶다.

길이 보이지 않는다고 하여 수족관이라는 제한된 삶에 스스로를 욱여넣지는 말자. 망망대해, 그 어딘가에서 부지런히 헤엄쳐 나가기를 소망하는 돌고래처럼 가장 나다울 수 있는 곳을 향해 오래도록 성장하기를.

있다, 잇다, 잊다

발행 2024년 1월 10일

지은이 윤소희, 서화정, 김소현, 최지현, 이성모, 최지민, 김선경, 문효진

라이팅리더 조주헌

디자인 윤소정

펴낸이 정원우

펴낸곳 글ego

출판등록 2019.06.21 (제2019-000227호)

주소 서울시 강남구 강남대로 118길 24 3층

이메일 writing4ego@gmail.com

홈페이지 http://egowriting.com

인스타그램 @egowriting

ISBN 979-11-6666-432-8